iPhone 4
POUR
LES NULS

iPhone 4

POUR
LES NULS

Bernard Jolivalt

Pour les Nuls est une marque déposée de Wiley Publishing, Inc
For Dummies est une marque déposée de Wiley Publishing, Inc
Collection dirigée par Jean-Pierre Cano
Auteur : Bernard Jolivalt
Édition : Pierre Chauvot
Maquette : Marie Housseau

Edition française publiée en accord avec Wiley Publishing, Inc.
©2011 par Éditions First
Éditions First
60 rue Mazarine
75006 Paris
Tél. : 01 45 49 60 00
Fax : 01 45 49 60 01
e-mail : firstinfo@efirst.com
ISBN : 9782754024242
Dépôt légal : 1er trimestre 2011
Imprimé en France

Sommaire

Première partie
FAIRE CONNAISSANCE
AVEC L'IPHONE

Deuxième partie
L'I (TÉLÉ) PHONE

TROISIÈME PARTIE
INTERNET ET PRÉCIS

Quatrième partie
L'IPHONE STUDIEUX

Introduction

L'iPhone est un téléphone, mais il est beaucoup plus que cela. Il est tout à la fois une messagerie doublée d'un navigateur Web qui n'a rien à envier à son équivalent sur le Mac ou le PC ; un outil de travail permettant d'organiser, de contacter des correspondants et d'organiser son temps ; une centrale d'informations donnant la météo, les cours de la Bourse ou des devises, un centre de loisir proposant d'écouter de la musique ou de regarder la télévision ou des vidéos et il est aussi une galerie marchande. Et bien sûr, il permet de prendre des photos, de filmer de la vidéo en haute résolution, d'envoyer et de recevoir des SMS et des MMS.

Des dizaines de milliers d'applications font de l'iPhone un appareil aux possibilités infinies (indicateur des horaires de train, guide du métro de nombreuses villes, détecteur de radars fixe et mobiles, GPS de voiture, boîte à meuh…)

L'iPhone Pour les Nuls Pas à pas a été conçu dans deux buts. Le premier est de faire le tour de ses principales fonctionnalités afin de bien connaître votre iPhone. Le second est d'apporter une solution à un problème ponctuel. Reportez-vous à la table des matières ou mieux, à l'index, afin de localiser la page qui vous intéresse, puis effectuez les étapes. Dans la plupart des pages, quelques astuces complémentaires vous permettront d'exploiter mieux encore votre iPhone.

Comment ce livre est organisé

Les techniques qui forment l'essentiel de ce livre auraient pu être jetées en vrac, ou classées par ordre alphabétique. Mais par commodité, elles ont été réunies dans des chapitres thématiques, eux-mêmes regroupés dans cinq parties.

Première partie : Faire connaissance avec l'iPhone

Même si vous utilisez déjà l'iPhone depuis quelque temps, le rappel de quelques notions de base n'est jamais vain. Si vous venez d'acheter un iPhone, cette partie vous familiarisera rapidement avec votre nouvelle acquisition. Vous découvrirez bon nombre de détails concernant la manipulation de l'iPhone.

Deuxième partie : L'i (télé)phone

Cette partie est consacrée à la principale fonctionnalité de l'iPhone : la téléphonie. Vous apprendrez non seulement à composer un numéro de téléphone (un enfant saurait le faire), mais aussi comment suivre la consommation téléphonique, activer le renvoi d'appel, recevoir et envoyer des SMS et des MMS, voir son correspondant, créer des sonneries personnalisées, etc.

Troisième partie : Internet et précis

Grâce à son splendide écran haute définition et à une version du navigateur Safari aussi performante que son équivalent pour Mac ou PC, vous surfez sur le Web avec la même commodité qu'avec un ordinateur. Mais auparavant, vous découvrirez les fonctions les plus utiles de la messagerie Mail.

Quatrième partie : L'iPhone studieux

Les applications livrées avec l'iPhone sont parfaites pour gérer le temps et ne jamais perdre le nord. Grâce à lui, vous ne serez plus jamais en retard.

Cinquième partie : L'iPhone ludique

L'iPhone est aussi divertissant, grâce aux applications audiovisuelles déjà installées, comme l'application Appareil photo, qui permet de prendre des photos et filmer des séquences vidéo, et aussi les applications iPod, iTunes et YouTube. À la fin de cette partie, et donc à la fin de ce livre, vous apprendrez comment sauvegarder les applications que vous avez achetées afin de ne pas les perdre si votre iPhone rencontrait un problème.

Pour finir, un mot sur ce que vous ne trouverez pas dans ce livre :
il ne sera nulle part question de *jailbreaking*, le déblocage de
l'iPhone pour télécharger des applications introuvables sur l'App
Store. Ce sont des bidouilles qui ne s'adressent pas aux *Nuls* car
elles sont très techniques, risquent de bloquer l'iPhone lors d'une
mise à jour et font perdre la garantie.

Bon à savoir...

Dans les différentes techniques exposées dans ce livre, vous serez
amené à effectuer quelques manipulations.

Quand vous devrez toucher une succession d'icônes et/ou de
commandes, sur l'écran de l'iPhone, cette séquence sera exprimée
sur la forme : «touchez Réglages > Général > Utilisation». En clair,
cela signifie que vous devrez toucher l'icône Réglages, puis la commande Général, puis l'option Utilisation. En fait, vous constaterez
à l'usage que ces actions sont vraiment très intuitives.

Certaines opérations nécessitent un clic du bouton droit. Pas de
problème avec les PC, qui ont tous une souris à plusieurs boutons
(sur le pavé tactile, c'est le bouton de droite qui en tient lieu). Sur
un Mac auquel est branchée une souris à un seul bouton, il faudra
maintenir la touche Ctrl enfoncée et cliquer. Si le Mac est équipé
d'un trackpad Multi-touche, appuyez avec deux doigts ou touchez
la zone du trackpad que vous avez définie pour simuler le bouton
droit. Le clic du bouton gauche est implicite; il n'est jamais mentionné car il va de soi.

Les pictogrammes

De temps en temps, et à vrai dire très souvent et même plus que
cela, vous rencontrerez les deux pictogrammes suivants :

Ce pictogramme signale une astuce, une suggestion ou une information technique qui vous faciliteront la tâche.

Celui-ci met en garde contre un risque ou une complication potentielle, ou un quelconque désagrément. Lisez attentivement ce qui suit et tenez-en compte.

Un dernier mot : cet ouvrage est plus spécifiquement destiné à l'iPhone 4, mais la plupart des techniques sont utilisables avec les versions précédentes. La version d'iOS – le système d'exploitation de l'iPhone – utilisé pour ce livre est la 4.2.1, et celle de iTunes est la version 10.1.

Bernard Jolivalt
http://pagesperso-orange.fr/bjolivalt/

Première partie

Faire connaissance avec l'iPhone

"À part ce petit défaut du mode Paysage,
je trouve l'iPhone vraiment génial."

L'iPhone sur le bout des doigts

L'iPhone 4 est un concentré de 137 grammes de haute technologie. Sous son aspect épuré, avec un minimum de boutons et un somptueux écran, se cachent de remarquables fonctionnalités que vous découvrirez tout au long de cet ouvrage. Mais avant d'examiner celles qui vous seront le plus utile au quotidien, un tour du propriétaire s'impose. Ce premier chapitre décrit les fonctions de base de l'iPhone. Vous découvrirez aussi quelques manipulations pour débloquer un iPhone rétif (eh oui, ça arrive…)

Les commandes de l'iPhone

Pour bien utiliser l'iPhone, il est important de savoir de quoi l'on parle. Voici donc les commandes de l'iPhone (Figure 1.1) et leur terminologie :

- **Le bouton Marche/Veille** : il sert à mettre l'iPhone en marche, à l'arrêter et le mettre en veille (ces fonctions sont décrites plus loin).

- **L'écran d'accueil** : il contient des icônes représentant chacune des applications de l'iPhone. Les quatre icônes en bas de l'écran (Téléphone, Mail, Safari et iPod) se trouvent dans une zone à part : le dock.

- **Le bouton principal** : son nom officiel est «bouton Home». Il sert à revenir à tout moment à l'écran d'accueil. C'est sur ce bouton aussi que vous pouvez appuyer pour quitter le mode Veille et «réveiller» ainsi l'iPhone.

- **Les boutons de volume** : situés sur la tranche gauche de l'iPhone, ils servent à augmenter ou réduire le volume sonore.

- **Le taquet Silence** : lorsque le téléphone doit rester silencieux (dans une salle de conférence ou de spectacle, par exemple), pousser ce bouton vers l'arrière de l'iPhone coupe la sonnerie. Le vibreur reste actif.

En mode silencieux, la sonnerie du téléphone ne retentit plus, mais celle de l'alarme et du minuteur, ainsi que les sons de diverses applications, se déclenchent néanmoins. Si vous avez réglé l'une de ces fonctions de l'application Horloge pour vous rappeler que le temps de parking de la voiture touche à sa fin, vous dérangerez votre entourage.

L'ensemble écouteurs/microphone livré avec l'iPhone est doté d'une mini-télécommande située sur le fil de l'écouteur droit (Figure 1.2). Appuyer sur la partie supérieure augmente le volume, appuyer sur la partie inférieure le diminue. Appuyer sur le microphone suspend l'écoute d'un morceau, appuyer de nouveau dessus reprend l'écoute. Appuyer sur la partie centrale prend un appel téléphonique ou y met fin.

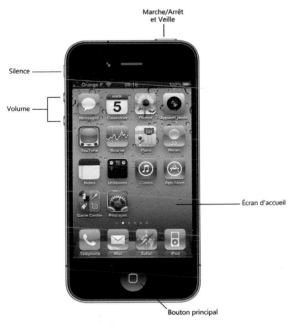

Marche/Arrêt
et Veille

Silence

Volume

Écran d'accueil

Bouton principal

Figure 1.1 : La façade de l'iPhone 4.

Figure 1.2 : La mini-télécommande de l'ensemble écouteurs-micro. Un microphone se trouve au dos.

Marche/Arrêt/Veille

Le bouton situé sur le dessus de l'iPhone remplit trois fonctions :

- **Mise en marche** : enfoncez le bouton pendant deux secondes environ. Le logo Apple apparaît. Puis :

  1. Tirez le bouton de la glissière Déverrouillez vers la droite.

    Un panneau «Carte SIM verrouillée» apparaît (Figure 1.3).

  2. Touchez le bouton Déverrouiller.

  3. Saisissez les quatre chiffres du code SIM puis touchez OK.

    Laissez la procédure de mise en marche se poursuivre. Vous devrez saisir le code PIN à quatre chiffres (Figure 1.4).

- **Arrêt** : enfoncez le bouton pendant trois secondes environ. Une glissière Éteindre apparaît. Tirez le bouton rouge vers la droite pour éteindre complètement l'iPhone.

- **Mise en veille** : appuyez brièvement sur le bouton Marche/Veille. Le téléphone reçoit les appels et les SMS et MMS et la musique continue à être diffusée.

Appuyez sur le bouton Marche/Veille ou sur le bouton principal pour « réveiller » l'iPhone, puis tirez le bouton de la glissière Déverrouiller vers la droite. Le code PIN n'est pas demandé.

Sur tous les téléphones mobiles, y compris l'iPhone, le code PIN par défaut est 0000. Pour plus de sécurité, vous devrez le personnaliser, comme expliqué à la technique « Modifier le code PIN », au Chapitre 5.

Vous n'avez droit qu'à trois essais pour le code PIN (*Personal Identification Number*, « numéro d'identification personnel »). Ensuite, l'iPhone est verrouillé. Vous devrez demander un code PUK (*Personal unlocking key*, « clé de déverrouillage personnelle ») à votre opérateur de téléphonie, puis le saisir lorsque l'iPhone vous le demandera. Vous définirez ensuite un code PIN personnalisé.

Figure 1.3 : Lorsque l'iPhone est éteint, le code SIM est exigé pour le remettre en marche.

Figure 1.4 : Le code PIN empêche quelqu'un d'autre que vous d'utiliser votre iPhone.

Régler le délai de mise en veille

1. Sur l'écran d'accueil, touchez Réglages > Général > Verrouillage auto (Figure 1.5).

2. Choisissez le délai d'inactivité avant la mise en veille (Figure 1.6).

3. Appuyez sur le bouton principal afin de quitter les réglages.

 Lorsqu'il est en veille, l'iPhone reçoit cependant les appels téléphoniques, les SMS et MMS ainsi que les courriers électroniques. Il continue aussi à jouer la musique, si une application audio fonctionne.

 À l'étape 3, vous pouvez aussi choisir d'appuyer sur Général > Réglages, en haut à gauche de l'écran, afin de reculer jusqu'au panneau initial. Au prochain toucher de Réglages, vous accéderez à ce panneau et non aux options que vous veniez de quitter.

Figure 1.5 : Le verrouillage automatique est en réalité une mise en veille.

Figure 1.6 : Choisissez le délai au terme duquel l'iPhone se met en veille.

Verrouiller l'iPhone par un code

1. Sur l'écran d'accueil, touchez Réglages > Général > Verrouillage par code (Figure 1.7).

2. Choisissez le type de code que vous désirez définir : complexe ou simple.

   • Pour définir un code complexe, désactivez l'option Code simple. Un code complexe peut contenir des chiffres, des lettres, des caractères spéciaux et des signes de ponctuation.

   • Pour définir un code à quatre chiffres, laissez l'option Code simple activée.

3. Touchez Activer le code.

4. Saisissez le code (Figure 1.8).

   Si vous avez opté pour le code complexe (recommandé si l'iPhone contient des données sensibles), touchez ensuite le bouton Suivant, en haut à droite de l'écran, ressaisissez le code pour vérification, puis touchez OK.

   Si vous avez opté pour le code simple, ressaisissez les quatre chiffres.

5. Touchez l'option Exiger le code, puis sélectionnez la durée de la veille (1, 5 ou 15 minutes, ou 1 ou 4 heures) après laquelle le code est demandé.

   Par défaut, le code est demandé immédiatement, c'est-à-dire chaque fois que l'iPhone se met en veille, ce qui peut être assez exaspérant à la longue. Si vous choisissez une durée plus longue, 15 minutes par exemple, l'iPhone pourra rester en veille un quart d'heure sans que le code soit demandé pour le réutiliser.

6. Appuyez sur le bouton principal pour quitter les réglages.

 Le code sera demandé chaque fois que l'iPhone quittera l'état de veille. Vous avez droit à dix tentatives infructueuses. Ensuite, l'iPhone se réinitialise et tout son contenu est effacé.

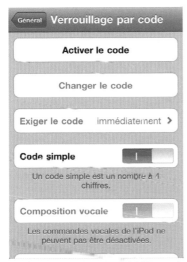

Figure 1.7 : Définissez un code à saisir lorsque l'iPhone sort de l'état de veille.

Figure 1.8 : Saisissez le code de déverrouillage afin que l'iPhone puisse quitter l'état de veille.

Activer le mode Avion

1. Sur l'écran d'accueil, touchez Réglages > Mode avion.

2. Touchez le commutateur Mode Avion afin de le désactiver.

De bleu, le commutateur passe à orange (Figure 1.9). Les réseaux téléphoniques et de données (Wi-Fi, 3G, EDGE et Bluetooth) ainsi que le GPS sont à présent désactivés.

4. Appuyez sur le bouton principal pour quitter les réglages.

5. Éteignez l'iPhone.

Attendez que l'autorisation d'utiliser les équipements mobiles ait été donnée pour rallumer l'iPhone et utiliser ses fonctions multimédia.

Les applications suivantes ne sont utilisables lorsque le mode Avion est actif :

- App Store
- Bourse
- Game Center
- Mail
- Message
- Météo
- Plans
- Safari
- Téléphone
- YouTube

Si vous tentez d'utiliser l'une de ces applications, un panneau vous rappelle que vous devez d'abord désactiver le mode Avion (Figure 1.10).

Figure 1.9 : L'iPhone ne communique plus avec les réseaux. La Wi-Fi, entre autres, a été automatiquement désactivée.

Figure 1.10 : L'iPhone vous rappelle qu'il est en mode Avion.

Afficher le pourcentage de charge de la batterie

1. Sur l'écran d'accueil, touchez Réglages > Général > Utilisation.

2. En haut du panneau, activez l'option Niveau de la batterie.

   Le pourcentage de charge est affiché à gauche de la jauge de la batterie (Figure 1.11).

3. Appuyez sur le bouton principal pour quitter les réglages.

 Lorsque la charge de la batterie n'est plus que de 20 %, l'iPhone le signale par un message (Figure 1.12). Au démarrage et à la sortie de veille, et seulement s'il est en charge, l'iPhone affiche une batterie montrant où en est la batterie (Figure 1.13).

 Un chargeur de voiture est un accessoire utile. Il existe différents modèles qui se distinguent par leur puissance de recharge. Un modèle à 2,1 ampères, comme le PowerBolt de Kensington, recharge l'iPhone plus rapidement qu'un modèle à 1 ampère.

Le changement de batterie doit être réalisé par le service après-vente (SAV) d'Apple. Mais si vous êtes adroit de vos mains, vous pourrez procéder vous-même à cette opération sur l'iPhone 4 en étudiant attentivement la vidéo visible sur le site www.iphone-info. fr/forum/news-f10/comment-remplacer-la-batterie-et-l-ecran-de-l-iphone-4-t203.html#p1593.

Figure 1.11 : L'iPhone affiche le pourcentage de charge de la batterie.

Figure 1.12 : Économisez l'utilisation de votre iPhone et pensez à la charger dès que possible.

Figure 1.13 : Cet écran n'est affiché que si l'iPhone est en cours de charge.

Verrouiller l'orientation de l'écran

1. Double-cliquez avec le bouton principal.

Les quatre dernières applications utilisées apparaissent en bas de l'écran, à la place du dock.

2. Faites glisser les applications vers la droite.

3. Touchez l'icône de gauche, en forme de flèche circulaire.

Un cadenas apparaît dans la flèche circulaire (Figure 1.14). L'affichage de nombreuses applications comme Notes, Mail Safari et d'autres, ne peut désormais se faire qu'en mode Portrait.

 Ce choix n'affecte pas l'affichage des vidéos de YouTube, ni celui des chaînes de télévision, qui restent en mode Paysage, mais les photos et les vidéos réalisées avec l'application Appareil photo sont présentées uniquement en mode Portrait.

 La calculette scientifique n'est plus accessible lorsque l'orientation de l'écran est verrouillée en mode Portrait.

Figure 1.14 : Le bouton en bas à gauche est en mode Verrouillage. De nombreuses applications ne pourront plus être affichées en largeur.

Libérer la mémoire 1

1. Observez le comportement de votre iPhone.

Il paraît lent, semble long à réagir à certaines actions. Bref, il rame.

2. Demandez-vous depuis combien de temps vous ne l'avez pas éteint.

Impossible de vous en souvenir. Vous le laissez en veille en permanence afin de ne manquer aucun appel téléphonique.

3. Appuyez de façon continue sur le bouton Marche/Veille puis tirez le bouton rouge Éteindre vers la droite.

En éteignant l'iPhone (Figure 1.15), vous mettez fin aux applications qui tournaient en tâche de fond et vous purgez sa mémoire vive de tous les scories laissées par d'autres applications.

4. Quelques secondes plus tard, appuyez de façon continue sur le bouton Marche/Veille puis laissez l'iPhone redémarrer.

 Le code PIN vous sera demandé pour déverrouiller l'iPhone.

Figure 1.15 : Éteindre l'iPhone est le moyen le plus radical de nettoyer sa mémoire.

Libérer la mémoire 2

1. Double-cliquez avec le bouton principal.

   Les quatre dernières applications utilisées apparaissent dans le dock de l'iPhone (Figure 1.16). D'autres applications sont visibles en faisant glisser le dock vers la gauche.

2. Touchez de façon continue une application.

   Une icône de suppression apparaît en haut de chacune d'elles (Figure 1.17).

3. Touchez l'icône de suppression d'une application.

   Cette action ferme complètement l'application, libérant ainsi de la mémoire.

   Répétez l'opération pour les applications que vous ne comptez plus utiliser d'ici peu (Figure 1.18).

4. Touchez au-dessus du dock pour revenir à l'affichage normal de l'écran d'accueil.

Figure 1.16 : Les applications fonctionnant en arrière-plan sont affichées dans le dock.

Figure 1.17 : Touchez l'icône en haut à droite d'une application pour la fermer complètement.

Figure 1.18 : De nombreuses applications ont été complètement fermées.

Débloquer un iPhone figé

1. Mettez l'iPhone en charge pendant une dizaine de minutes.

Utilisez le transformateur qui se branche à une prise de courant, car le courant qu'il fournit est plus puissant que celui des ports USB d'un ordinateur, ou celui provenant du port USB d'un clavier ou d'un écran, ou d'un répartiteur de ports USB, qui est encore plus faible).

2. Maintenez simultanément enfoncés le bouton Marche/Veille, le bouton d'arrêt et l'un des boutons de volume (Figure 1.19).

3. Relâchez les boutons après cinq secondes.

Figure 1.19 : Il faut appuyer sur trois boutons en même temps pour débloquer un iPhone.

Redémarrer un iPhone qui dysfonctionne

Première technique :

1. Maintenez le bouton Marche/Veille enfoncé.

2. Tirez le bouton de la glissière Éteindre sans relâcher le bouton Marche/Veille.

3. Attendez quelques secondes, le bouton toujours enfoncé, jusqu'à ce que le logo Apple apparaisse (Figure 1.20).

    Si l'iPhone refuse de démarrer, maintenez le bouton Marche/Veille enfoncé jusqu'à ce que la glissière Éteindre apparaisse, puis maintenez le bouton principal enfoncé.

Figure 1.20 : Maintenez le bouton Marche/Veille enfoncé jusqu'à ce que le logo d'Apple apparaisse.

Seconde technique :

1. Maintenez le bouton Marche/Veille enfoncé ainsi que le bouton principal (Figure 1.21) pendant 10 secondes.

2. Relâchez le bouton principal, en bas (mais pas le bouton Marche/Veille).

3. Attendez encore 10 secondes.

4. Relâchez le bouton Marche/Veille.

Figure 1.21 : Maintenir ces deux boutons enfoncés dans l'ordre et pendant la durée préconisée permet souvent de redémarrer un iPhone rétif.

Accéder au Guide de l'utilisateur

1. Sur l'écran d'accueil, touchez l'icône Safari.

2. Dans la barre d'outils en bas de l'écran, touchez l'icône Signets (elle représente un livre ouvert très stylisé).

3. En bas des signets (étudiés au Chapitre 9), touchez l'option Guide de l'utilisateur de l'iPhone.

4. Touchez une rubrique du guide (Figure 1.22). L'ouvrage est constitué d'une arborescence de pages Web.

 Si vous préférez une version PDF du manuel (Figure 1.23), et si vous avez déjà téléchargé l'application iBooks comme expliqué au Chapitre 14, saisissez l'adresse http://manuals.info.apple.com/fr_FR/iPhone_iOS4_Guide_de_l_utilisateur. pdf, dans la barre d'adresse de Safari. Touchez ensuite le bouton Ouvrir dans iBooks. Le Guide de l'utilisateur figurera dans votre bibliothèque de livres électroniques, où vous pourrez le consulter facilement.

Figure 1.22 : Le manuel de l'iPhone se trouve sur Internet.

Touchez la pièce jointe
pour la télécharger

Vous pouvez afficher les pièces jointes en orient

Si le format d'une pièce jointe n'est pas pris en c
le nom du fichier mais pas l'ouvrir. L'iPhone prer
suivants :

Figure 1.23 : La version PDF du Guide de l'utilisateur est un livre électronique de 266 pages.

L'art de la saisie

L'iPhone est doté d'un clavier particulièrement astucieux, car il s'adapte aux applications. Par exemple, si vous devez saisir du texte, c'est un clavier alphanumérique AZERTY qui vous est proposé. Si vous devez saisir une adresse Internet, l'arobase @ est présente. Pour saisir un numéro de téléphone dans une fiche de contact, un clavier téléphonique sera présenté. L'iPhone ne vous prendra (presque) jamais au dépourvu.

Des astuces de saisie permettent d'accélérer la frappe. En voici une, utilisable dans beaucoup d'applications : pour agrandir légèrement les touches, mettez l'iPhone en mode Paysage (en largeur). La saisie sera ainsi plus confortable.

Accéder aux caractères spéciaux

1. Affichez le clavier de l'iPhone en utilisant une application comme Notes, Mail, Messages, Safari, etc.

   Pour cet exemple, nous utilisons Notes. Touchez le bouton [+], en haut à droite, pour créer une nouvelle note et afficher le clavier alphabétique (Figure 2.1).

2. En bas à gauche du clavier alphabétique, tapez la touche marquée « .?123 » ; elle donne accès au clavier numérique (Figure 2.2).

   En plus des chiffres, le clavier numérique contient les signes de ponctuation usuels : l'arobase, des parenthèses et crochets ainsi que le symbole de l'euro.

3. En bas à gauche du clavier numérique, tapez à présent la touche marquée « #+= » ; vous accédez à d'autres caractères spéciaux (Figure 2.3).

   Ce clavier contient notamment les symboles monétaires du dollar, de la livre et du yen, les signes de degré et de pourcentage, les opérateurs arithmétiques simples, le tilde, etc.

 Double-touchez la barre Espace pour insérer un point suivi d'une espace. Le clavier active la majuscule.

 Double-touchez la touche Majuscule pour la bloquer en capitale. Tout ce que vous saisirez sera écrit en majuscules.

 En mode alphabétique (clavier ABC), double-touchez longuement la touche « .?123 », glissez le doigt vers le caractère spécial puis relâchez-le. Le caractère spécial est inséré et le clavier alphabétique réapparaît aussitôt.

Figure 2.1 : Le clavier principal de l'application Notes.

Figure 2.2 : Le clavier numérique contient également les signes de ponctuation courants.

Figure 2.3 : Le clavier des caractères spéciaux contient des signes moins souvent utilisés.

Les touches cachées

1. Affichez le clavier de l'iPhone en utilisant une application comme Notes, Mail, Messages, Safari, etc.

2. Appuyez de façon continue sur une touche possédant des caractères cachés pour les afficher (Figure 2.4).

3. Faites glisser le doigt jusque sur le caractère à insérer.

 Voici l'ensemble des caractères spéciaux de l'iPhone :

A : a à á â ä æ ã å ā ª   C : c ç ć č

E : e é è ê ë ę è ē   I : ī į í ì ï î i

L : ł l   N : ń ñ n

O : ° ō ø õ ó ò ö œ o ô   S : s ß ś š

U : ū ú ü û ù u   Y : y ÿ

Z : z ź ž ż

0 : ° 0   - : — •

€ : ₩ ¥ £ $ €   & : & §

« : „ " " « » «   . : . …

? : ? ¿   ! : ! ¡

' : ` ' '   % : % ‰

 Lorsque la touche Majuscule est activée en permanence par un double-toucher, les voyelles deviennent des majuscules accentuées.

Figure 2.4 : Appuyez de façon continue sur certaines touches pour accéder aux caractères cachés du clavier.

Configurer la saisie

1. Sur l'écran d'accueil, touchez Réglages > Général > Clavier.

2. Dans le panneau (Figure 2.5), désactivez ou activez les options suivantes :

Majuscules auto. : mise en majuscule automatique du premier caractère d'une phrase et des mots dans le champ d'adresse postale des contacts.

Correction auto. : correction et vérification orthographiques. Lorsque cette option est désactivée, l'option Orthographe l'est aussi ; l'iPhone ne corrige plus les mots et ne suggère plus de les terminer.

Orthographe : accessible seulement si l'option Correction auto. est active. L'iPhone ne vérifie plus l'orthographe mais continue de suggérer de terminer les mots que vous saisissez.

Maj. verrouillées : lorsque cette option est inactive, le double-toucher sur la touche Majuscule est sans effet.

Raccourci « . » : active l'insertion d'un point et d'une espace en double-touchant la barre Espace.

3. Appuyez sur le bouton principal pour quitter les réglages.

 Votre doigt est posé sur la touche à côté de celle du caractère que vous vouliez insérer ? Laissez le doigt contre l'écran et glissez-le vers la touche correcte (le caractère touché est légèrement agrandi, sous votre doigt).

Figure 2.5 : Activez ou désactivez ici les options de saisie ou de correction.

Accepter ou refuser une suggestion

1. Saisissez du texte dans l'application Notes.

2. Lorsque l'iPhone croit reconnaître ce que vous êtes en train de saisir et qu'il suggère de terminer le mot (Figure 2.6), effectuez l'une de ces actions :

   Accepter la suggestion : appuyez sur la barre Espace, touchez un signe de ponctuation ou appuyez sur la touche Retour pour accepter le mot proposé par l'iPhone.

   Refuser la suggestion : continuez à saisir le texte ou touchez le X à droite de la suggestion. Le mot que vous tapez et que l'iPhone n'avait pas reconnu est ajouté à son dictionnaire et servira pour de futures suggestions.

 Pour revenir à la saisie telle qu'elle était au moment de la suggestion, ou pour revenir à une suggestion, appuyez sur la touche Effacement. La suggestion ou le mot partiellement saisi apparaît dans une bulle noire (Figure 2.7). Touchez-la pour accepter la proposition.

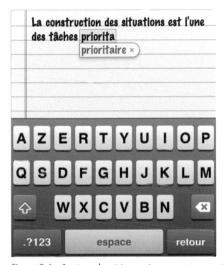

Figure 2.6 : Continuez la saisie pour imposer vos termes. N'oubliez pas de corriger les accords si nécessaire, comme ici pour le mot « prioritaire ».

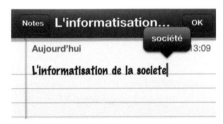

Figure 2.7 : Revenez immédiatement en arrière avec la touche d'effacement pour que l'iPhone propose de nouveau une suggestion ou votre saisie précédente.

Couper ou copier

1. Ouvrez du texte ou saisissez du texte dans l'application Notes par exemple.

2. Touchez un mot pendant une seconde, dans le texte à couper ou à copier (pas nécessairement le premier de la partie à sélectionner).

   Des boutons Sélectionner et Tout sélectionner apparaissent (Figure 2.8).

3. Si vous voulez copier la totalité du texte, touchez le bouton Tout sélectionner et passez à l'étape 5.

   Autrement, pour choisir une partie du texte, touchez le bouton Sélectionner. Deux poignées de sélection bleues apparaissent de part et d'autre du mot touché.

5. Tirez la poignée de droite vers la droite et/ou vers le bas, et la poignée de gauche vers la gauche et/ou vers le haut afin de sélectionner des mots, des lignes ou des paragraphes (Figure 2.9).

6. Relevez le doigt puis touchez le bouton Couper ou Copier (Figure 2.10) qui vient d'apparaître.

   Le texte est mémorisé.

 Un bouton Remplacer du texte apparaît parfois à droite des boutons Couper, Copier ou Coller. Quand vous le touchez, l'iPhone suggère des mots pour remplacer celui qui est sous le pointeur.

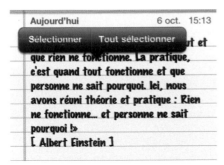

Figure 2.8 : Touchez un mot, dans le texte à couper ou copier.

Figure 2.9 : Délimitez le texte à sélectionner en faisant glisser les poignées de sélection.

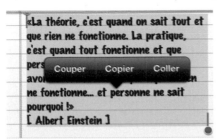

Figure 2.10 : Touchez le bouton Couper ou Copier (le bouton Coller n'apparaît que si du texte a déjà été mémorisé).

Coller du texte

1. Ouvrez une application de texte (une nouvelle note, ou un nouveau message dans Mail, par exemple).

2. Touchez pendant une seconde l'emplacement où coller le texte.

    Un bouton Coller apparaît (en haut à gauche, dans la Figure 2.11).

3. Touchez le bouton Coller.

    Le texte collé apparaît à partir de l'endroit indiqué (en bas à droite, dans la Figure 2.11).

 Cette technique fonctionne aussi avec une image copiée depuis les applications Photos ou Safari.

Figure 2.11 : Touchez l'endroit où vous désirez placer le texte puis touchez le bouton Coller. Le texte est aussitôt placé.

Positionner le pointeur de texte

1. Dans une application de texte (Notes, Mails...), touchez de façon continue le texte.

Une loupe apparaît.

2. Faites glisser la loupe jusqu'à ce que le pointeur se trouve à l'endroit désiré (Figure 2.12).

3. Ôtez le doigt de l'écran.

Vous pouvez à présent supprimer des caractères à gauche du pointeur avec la touche Effacement, ou en saisir d'autres, ou coller du texte ou une image.

 Cette technique est commode pour corriger du texte, car placer le pointeur directement au bon endroit, d'un seul et bref toucher du bout du doigt, est assez délicat.

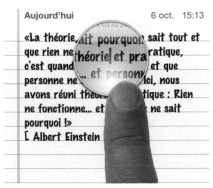

Figure 2.12 : Faites glisser le pointeur de texte jusqu'à l'emplacement désiré.

Effacer du texte dans un champ de saisie

1. Dans une application contenant un champ de saisie (Safari, Plan…), touchez le champ de saisie contenant un texte précédemment entré (Figure 2.13).

   Un pointeur de texte clignote à la fin du texte.

2. Pour effacer un mot au milieu de la ligne de texte, touchez-le.

   Le pointeur se place à droite du mot.

3. Appuyez sur la touche Effacement (Figure 2.14) autant de fois que nécessaire pour effacer le mot caractère par caractère.

4. Saisissez ensuite un mot de remplacement ou appuyez sur la touche bleue du clavier (Rechercher, Atteindre, selon l'application en cours).

 Pour effacer entièrement le contenu du champ de saisie, touchez le bouton Effacer (s'il existe dans l'application) ou sur le bouton gris marqué d'une croix blanche, à droite dans le champ de saisie.

Figure 2.13 : Touchez le champ de saisie afin d'en modifier le contenu.

Figure 2.14 : Effacez des caractères à gauche du pointeur avec la touche Effacement, ou effacez tout en touchant le bouton gris, dans le champ de saisie.

Changer de clavier

1. Sur l'écran d'accueil, touchez Réglages > Général > Clavier > Claviers internationaux > Ajouter un clavier.

2. Touchez l'une des langues de clavier, dans la liste Ajouter un clavier (Figure 2.15).

3. Accédez à une application de texte, comme Notes.

4. Quand le clavier habituel apparaît, touchez le bouton en forme de globe à gauche de la barre Espace (il n'apparaît que si deux claviers au moins ont été définis).

   Le clavier secondaire est affiché (Figure 2.16).

5. Appuyez sur le bouton principal pour quitter les réglages.

 Si plusieurs claviers ont été définis, appuyez plusieurs fois sur le bouton à gauche de la barre Espace jusqu'à ce que le clavier désiré apparaisse.

 Pour supprimer un clavier, touchez Réglages > Général > Clavier > Claviers internationaux, puis touchez le bouton Modifier. Touchez ensuite le cercle rouge avec un signe moins à gauche du clavier à ôter, puis touchez le bouton Supprimer.

 Parmi les huit claviers chinois, deux sont à saisie manuscrite : vous pouvez dessiner les idéogrammes du bout du doigt.

Figure 2.15 : Sélectionnez l'un des 50 claviers internationaux de l'iPhone.

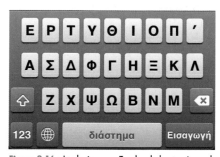

Figure 2.16 : Le clavier grec. Touchez le bouton à gauche de la barre Espace pour passer d'un clavier à un autre.

Chapitre 3

Synchroniser avec iTunes

L'iPhone peut fonctionner de manière complètement autonome. Mais c'est en le connectant avec un ordinateur – un Mac, ou un PC tournant sous Windows – que vous pourrez exploiter pleinement ses possibilités.

Cette communication avec l'ordinateur est la «synchronisation». C'est grâce à elle que vous pouvez transférer certaines données vers l'iPhone ou depuis l'iPhone. Ces opérations exigent l'installation préalable, dans l'iPhone, du logiciel iTunes, téléchargeable gratuitement depuis l'adresse `www.apple.com/fr/itunes/`.

 Avant toute synchronisation, passez en revue chacun des boutons de synchronisation de iTunes (Infos, Apps, Sonneries, Musique, Films, Séries TV, Podcasts, Livres et Photos) et assurez-vous que seule la case des synchronisations à effectuer est cochée. Décochez toutes les autres. Autrement, iTunes risquerait d'effacer inopinément du contenu dans votre iPhone.

Connecter l'iPhone à iTunes

1. Connectez l'iPhone à une prise USB de l'ordinateur grâce au câble livré avec l'iPhone.

   Si l'iPhone est éteint, allumez-le en appuyant un instant sur la touche Marche/Veille. Déverrouillez au besoin la carte SIM.

   Si l'iPhone est en veille, tirez le curseur Déverrouiller.

2. Démarrer iTunes.

   Mac : cliquez sur l'icône iTunes, dans le dock.

   PC : double-cliquez sur l'icône iTunes, sur le Bureau. Ou alors, cliquez sur le bouton Démarrer puis choisissez Tous les programmes > iTunes > iTunes.

3. La première fois que l'iPhone est connecté à iTunes, vous devez lui donner un nom.

   Par la suite, l'iPhone apparaît dans la rubrique Appareil, dans le volet de gauche, sous le nom que vous lui avez attribué.

4. Cliquez sur le nom de l'iPhone dans le volet de gauche (Figure 3.1) pour accéder aux différents panneaux qui régissent la synchronisation.

 L'icône à droite de celle de la batterie, dans le volet de gauche d'iTunes, sert à déconnecter l'iPhone.

 La fenêtre de droite contient le numéro de série et de téléphone de votre iPhone ainsi que diverses options de configuration (Figure 3.2). Étudiez-les et cochez celles qui vous conviennent.

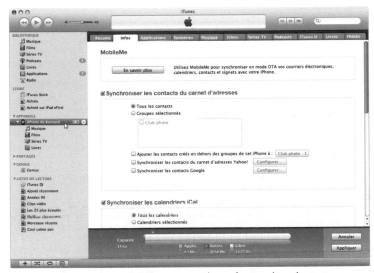

Figure 3.1 : Cliquez sur le nom de l'iPhone pour accéder aux fonctions de synchronisation.

Figure 3.2 : Ce panneau sert à configurer la synchronisation des données.

Effectuer une synchronisation

1. Connectez l'iPhone à iTunes comme expliqué à la technique précédente.

2. Dans le volet de gauche, à la rubrique Appareils, cliquez sur le nom de l'iPhone.

3. Dans la grande fenêtre de droite, cliquez sur l'un des boutons correspondant aux types de données que vous désirez synchroniser :

Infos : synchronisation des contacts, des calendriers, des paramètres de comptes de messagerie, des signets ou des favoris Internet et des notes.

Apps : synchronisation des applications téléchargées (décrite à la prochaine technique)

Sonneries : synchronisation des sonneries téléchargées ou réalisées soi-même.

Musique : synchronisation des morceaux de musique, des listes de lecture, des clips vidéo et des mémos vocaux (voir Figure 3.3).

Films : synchronisation des films achetés sur iTunes.

Série TV : synchronisation des séries télévisées achetées sur iTunes, en totalité ou seulement certains épisodes.

Podcasts : synchronisation des podcasts, en totalité ou sélectivement.

Livres : synchronisation des livres électroniques (si l'application gratuite iBooks a été installée dans l'iPhone).

Photos : synchronisation des photos depuis des dossiers ou des logiciels (iPhoto sur Mac, ou Photoshop Elements, si ce dernier est installé dans l'ordinateur).

Figure 3.3 : Un exemple de choix du logiciel avec lequel des données de l'iPhone doivent être synchronisées.

4. Cliquez sur le bouton correspondant au type de données à synchroniser.

5. Cochez la case à gauche du mot Synchroniser [*type de données*].

Cette action donne accès à toutes les options de synchronisation du type de données correspondant.

6. Si le panneau contient des cases à cocher, choisissez les éléments à synchroniser (Figure 3.3). S'il contient un menu d'applications, sélectionnez le logiciel avec lequel vous voulez synchroniser les données (Figure 3.4).

7. Cliquez sur le bouton Appliquer (PC) ou Synchroniser (Mac), en bas à droite de iTunes.

Les mots « Synchronisation en cours » sont affichés sur l'iPhone ainsi que dans iTunes.

N'éteignez surtout pas l'iPhone pendant la synchronisation. Laissez la procédure se terminer.

Quand vous cessez de synchroniser en décochant la case Synchroniser [*tel ou tel élément*] dans iTunes, le contenu importé (de la musique ou des photos, par exemple) est effacé de l'iPhone.

Quand vous synchronisez à partir d'un autre ordinateur que celui que vous utilisez habituellement, iTunes efface d'abord tous les éléments importés qu'il contient déjà (Figure 3.5).

Figure 3.4 : Certaines synchronisations vous permettent de choisir les éléments à synchroniser.

Figure 3.5 : Quand vous synchronisez à partir d'un autre ordinateur, iTunes efface d'abord tous les éléments qui se trouvent déjà dans l'iPhone (des morceaux de musique, par exemple) avant de les remplacer par les nouveaux.

Synchroniser les applications

1. En haut de la fenêtre principale de iTunes, cliquez sur le bouton Applications puis cochez la case Synchroniser les applications.

2. Dans la colonne de gauche, cochez la case de chacune des applications à copier dans votre iPhone (Figure 3.6).

3. Dans la colonne de droite, cliquez sur la vignette d'un écran de l'iPhone dans lequel les boutons des applications à synchroniser doivent être placés.

   Les applications peuvent être triées par noms, catégories, date d'acquisition ou taille. Ou alors, vous pouvez saisir un mot ou une phrase dans le champ de recherche – reconnaissable à sa petite loupe – pour rechercher une application spécifique.

   Disposez éventuellement les icônes dans les écrans de l'iPhone affichés par iTunes en les faisant glisser aux emplacements qui vous conviennent.

4. Cliquez sur le bouton Appliquer (PC) ou Synchroniser (Mac), en bas à droite de iTunes.

Figure 3.6 : Dans la colonne de gauche, cochez la case des applications à synchroniser avec l'iPhone. Choisissez ensuite l'écran de l'iPhone dans lequel elles doivent être placées.

Synchroniser les photos

1. Pour copier des photos de l'ordinateur vers l'iPhone, connectez l'iPhone à iTunes comme expliqué précédemment à la technique « Connecter l'iPhone à iTunes ».

2. En haut de la fenêtre principale, cliquez sur le bouton Photos.

3. Effectuez l'une des actions suivantes :

- Si dans l'ordinateur, les photos se trouvent dans des albums d'une application comme iPhoto ou Photoshop Elements, déroulez le menu à droite de Synchroniser les photos depuis, et sélectionnez l'application.

- Si elles se trouvent dans un dossier, déroulez le menu et sélectionnez Choisir un dossier (Figure 3.7). Naviguez ensuite jusqu'au dossier contenant les photos et, dans le sélecteur de fichiers, cliquez sur le bouton Sélectionner un dossier.

4. Si vous avez sélectionné l'option Choisir un dossier, et que vous ne voulez synchroniser que certains sous-dossiers, cliquez sur le bouton d'option Dossiers sélectionnés.

5. Cochez les cases des sous-dossiers à synchroniser (Figure 3.8).

Figure 3.7 : Vous pouvez transférer les photos stockées dans un dossier.

Figure 3.8 : Sélectionnez les sous-dossiers à synchroniser.

6. Cliquez sur le bouton Appliquer (PC) ou Synchroniser (Mac).

iTunes optimise les photos à exporter vers l'iPhone, puis il les copie.

7. Attendez que iTunes indique que la synchronisation de l'iPhone est terminée, dans sa barre titre, pour déconnecter l'appareil.

Les dossiers et les albums qui se trouvent dans l'ordinateur deviennent des albums dans l'iPhone.

Avant de synchroniser, iTunes supprime toutes les photos qui se trouvent dans l'iPhone, sauf celles prises avec l'iPhone lui-même.

Si vous synchronisez des dossiers, créez des dossiers réservés à l'iPhone, dans votre ordinateur, contenant toujours les mêmes photos que dans l'iPhone.

Dans l'application Photos de l'iPhone, les sous-dossiers deviennent des albums (Figure 3.9). En revanche, les sous-sous-dossiers sont tous fusionnés dans un même album.

Pour supprimer un album, dans l'iPhone, répétez les étapes précédentes, mais à l'étape 5, décochez les cases des dossiers (albums) à supprimer. Pour supprimer la totalité des photos synchronisées (sauf celles prises avec l'iPhone), décochez la case Synchroniser les photos, dans iTunes.

Figure 3.9 : Les dossiers synchronisés deviennent des albums. En haut de la liste, Pellicule contient les photos prises avec l'iPhone. Photothèque est un album personnel qui avait été créé dans l'ordinateur.

Connaître la capacité de l'iPhone

1. Démarrez iTunes et connectez l'iPhone.

2. À la rubrique Appareils, dans le volet de gauche, cliquez sur l'iPhone.

3. Consultez la partie inférieure de la fenêtre principale.

Une jauge (Figure 3.10), indique l'occupation de la mémoire par les morceaux de musique, les photos, les applications, les livres et les autres éléments.

4. Cliquez sur une indication de la jauge pour changer les libellés :

- **Par défaut** : occupation de la mémoire exprimée en mégaoctets (Mo) ou en gigaoctets (Go).

- **Premier clic** : occupation exprimée en nombre de morceaux de musique, de photos et d'applications. Les éléments autres ainsi que l'espace libre sont indiqués en gigaoctets (ou en mégaoctets si l'iPhone est presque plein).

- **Deuxième clic** : occupation exprimée en heures d'écoute. Les autres éléments sont exprimés en mégaoctets et/ou en gigaoctets.

- Un troisième clic ramène à l'affichage par défaut.

Quand vous préparez une synchronisation, la jauge indique non pas l'occupation de la mémoire actuelle, mais une fois que la synchronisation aura été effectuée. Pour connaître la capacité actuelle, désactivez toutes les cases Synchroniser, dans les différents panneaux.

Des applications téléchargeables permettent également de connaître l'occupation de la mémoire de l'iPhone. System Lite, une application gratuite téléchargeable depuis l'App Store, indique la capacité totale de l'iPhone, l'espace libre et l'espace utilisé en gigaoctets et en pourcentage, ainsi que le nombre de morceaux (Figure 3.11).

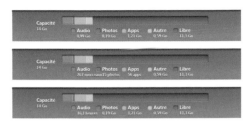

Figure 3.10 : Les différents affichages de la jauge d'iTunes.

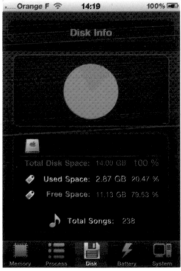

Figure 3.11 : Une application comme System Lite permet de vérifier rapidement l'espace libre dans l'iPhone.

La connexion Bluetooth

*L*es communications avec Bluetooth se sont banalisées sur les téléphones mobiles, les assistants numériques personnels et les périphériques comme les claviers et les souris. Il s'agit d'une liaison radio, par voie hertzienne, qui porte à une dizaine de mètres.

La communication Bluetooth permet notamment d'utiliser l'iPhone avec une oreillette afin de téléphoner en laissant les mains libres. En revanche, elle ne permet pas d'échanger des fichiers entre l'iPhone et un ordinateur, par exemple.

Activer Bluetooth

1. Sur l'écran d'accueil, touchez Réglages > Général > Bluetooth (Figure 4.1).

2. Actionnez le commutateur afin d'activer Bluetooth.

L'iPhone se met en attente d'une connexion avec un équipement Bluetooth.

3. Appuyez sur le bouton principal pour quitter les réglages.

Une petite icône évoquant un « B » runique, à gauche de la jauge de la batterie (Figure 4.2), signale que Bluetooth est actuellement actif.

Désactivez Bluetooth si vous ne vous en servez pas, car cette fonctionnalité consomme beaucoup de courant électrique. L'autonomie de l'iPhone n'en sera que meilleure.

Pour ne pas être importuné par des sollicitations publicitaires dans la rue – du genre « Vous êtes juste devant Leroy Delafrite, le meilleur bistro du quartier » –, une pratique encore à ses débuts mais qui se répandra, n'activez pas Bluetooth. Cette fonction n'est guère utile à l'extérieur.

Figure 4.1 : N'activez Bluetooth que si vous en avez l'usage.

Figure 4.2 : L'icône de Bluetooth, à gauche de la batterie, indique que cette liaison radio est active.

Utiliser un clavier externe

1. Sur l'écran d'accueil, touchez Réglages > Général > Bluetooth, puis activez la fonction.

2. Mettez le clavier Bluetooth en marche.

   S'il s'agit du clavier sans fil Apple, appuyez sur le bouton situé du côté droit.

   L'iPhone détecte la présence du clavier (Figure 4.3) mais ne s'y connecte pas encore.

   Après quelques secondes, il affiche la demande de jumelage émanant du clavier (Figure 4.4) et fournit un code d'accès.

3. Saisissez le code d'accès sur le véritable clavier.

   Ne tardez pas, car la proposition de jumelage disparaît au bout de quelques secondes.

Figure 4.3 : L'iPhone vient de détecter un périphérique Bluetooth dans les environs.

Figure 4.4 : Pour jumeler l'iPhone et le clavier, vous devez saisir le code d'accès sur le clavier Bluetooth.

4. Dès que la connexion Bluetooth a été établie (Figure 4.5), vous pouvez utiliser le clavier Bluetooth pour vos saisies plutôt que le clavier virtuel de l'iPhone. Notez que ce dernier n'est pas affiché lorsqu'un clavier Bluetooth est utilisé.

5. Appuyez sur le bouton principal pour quitter les réglages.

 Après avoir configuré le clavier réel, il se connecte spontanément à l'iPhone dès qu'il est à portée.

 Pour changer de clavier, si plusieurs ont été définis dans l'iPhone, appuyez sur Ctrl+Espace (PC) ou z+Espace (Mac) pour afficher la liste des claviers internationaux. Appuyez de nouveau sur la touche Espace pour changer de clavier.

 Si le clavier ne parvient à se jumeler avec l'iPhone, assurez-vous qu'il n'est pas connecté à un ordinateur. Si oui, désactivez la connexion avec le clavier en double-cliquant sur l'icône Bluetooth, dans le Panneau de configuration de Windows ou dans les Préférences Système du Mac (Figure 4.6).

 Les touches du clavier d'un Mac ne sont pas placées de la même manière que celles d'un clavier pour PC. Utilisez un clavier Bluetooth approprié à votre ordinateur.

 L'iPhone peut être jumelé à un PC ou à un Mac, mais tout échange de fichiers est impossible.

Figure 4.5 : La connexion entre l'iPhone et le clavier sans fil est établie. Vous pouvez utiliser un vrai clavier pour vos saisies.

Figure 4.6 : Il faut désactiver le clavier Bluetooth dans le Mac avant de pouvoir le jumeler à l'iPhone.

Deuxième partie

L'i(télé)phone

"L'iPhone permet bien sûr de regarder des vidéos, d'écouter de la musique et de surfer sur le Web. Mais sait-il défaire des nœuds bien entortillés ?"

Téléphoner

L'iPhone est avant tout un téléphone, ou plus exactement un *smartphone* (mot-valise composé de *smart*, « intelligent » en anglais et « phone », diminutif de téléphone en anglais, et seconde partie du mot « téléphone »). C'est surtout un téléphone performant aux fonctionnalités inédites, notamment la vidéophonie offerte par la fonction FaceTime de l'iPhone 4.

Ce chapitre présente les fonctions usuelles de l'iPhone, que vous étudierez au quotidien, ainsi que quelques autres fonctions utiles, comme l'ajout de nouvelles sonneries à la collection déjà présente dans l'iPhone.

Trouver le numéro de téléphone de l'iPhone

1. Sur l'écran d'accueil, touchez l'icône Téléphone puis, dans l'application, touchez l'icône Contacts (Figure 5.1).

2. Faites glisser la liste de contacts vers le bas, afin de dévoiler le numéro de téléphone de l'iPhone (Figure 5.2).

En temps normal, seul le cartouche Recherche se trouve tout en haut de l'écran. Le numéro de téléphone est caché au-dessus.

Si le numéro de téléphone de votre iPhone n'est pas visible en haut de la liste des contacts, retournez sur l'écran d'accueil puis touchez Réglages > Téléphone > Afficher mon numéro, puis activez la fonction (notez que le numéro de téléphone n'apparaît pas dans la liste affichée en touchant l'application Contacts).

Vous pouvez aussi accéder au numéro de téléphone de l'iPhone en touchant Réglages > Téléphone (le numéro est alors modifiable).

Une autre manière d'accéder facilement au numéro de téléphone de votre iPhone ainsi qu'à tous les autres numéros que vous pourriez avoir (téléphone fixe, Internet, professionnel...) est de créer un contact à votre nom.

Figure 5.1 : Accédez aux contacts en touchant le bouton en bas au milieu de l'application Téléphone.

Figure 5.2 : Faites glisser la liste vers le bas afin de dévoiler le numéro qui se trouve tout en haut.

Modifier le code PIN

1. Sur l'écran d'accueil, touchez Réglages > Téléphone > PIN carte SIM.

2. Touchez l'option Modifier le code PIN.

3. Dans le champ PIN actuel, saisissez le code PIN actuellement en usage (Figure 5.3).

   Le code PIN par défaut est 0000.

4. Touchez le champ Nouveau PIN puis saisissez un nouveau code PIN à votre convenance.

5. Touchez le champ Confirmez le PIN puis saisissez de nouveau le code que vous venez de définir.

6. Touchez le bouton Enregistrer.

7. Appuyez sur le bouton principal pour quitter les réglages.

 Vous devez impérativement affecter un code PIN personnel à votre iPhone, afin qu'en cas de perte ou de vol, il ne puisse pas être utilisé. Choisissez quatre chiffres difficiles à deviner par autrui.

 Le code PIN n'est demandé qu'à la mise en marche de l'iPhone, et non à la sortie de veille. Si l'iPhone est volé alors qu'il était en veille, il reste utilisable jusqu'à son extinction. Un iPhone volé est aussi réutilisable en changeant sa carte SIM. Seul le code IMEI, expliqué à la prochaine technique, permet de bloquer un téléphone perdu ou volé.

Figure 5.3 : Définissez un nouveau code PIN afin de protéger l'usage de votre iPhone.

Trouver le code IMEI

1. Sur l'écran d'accueil, touchez Réglages > Général > Informations.

2. Faites glisser le contenu de l'écran Informations jusqu'à ce que le code IMEI soit visible (Figure 5.4).

3. Notez les 15 chiffres du numéro IMEI puis rangez-les en lieu sûr.

4. Appuyez sur le bouton principal pour quitter les réglages.

Le numéro IMEI peut également être obtenu :

- Avec l'application Téléphone, en composant le numéro « *#06# » (Figure 5.6).

- Sous la boîte de l'iPhone, au-dessus des logos de conformité.

Le code IMEI (*International Mobile Equipment Identity*, « identité d'équipement mobile internationale ») est unique. Il identifie votre téléphone mobile. En cas de vol, appelez le numéro suivant afin que l'opérateur bloque votre iPhone (le numéro entre parenthèses est celui à appeler depuis l'étranger). Faites aussi inscrire le code IMEI sur la déposition faite à la police :

- Bouygues : 0 800 29 1000 (00 33 800 29 1000)

- Orange : 0 825 005 700 (00 33 825 005 700)

- SFR : 06 1000 1900 (00 33 6 1000 1900)

Conservez une copie du code IMEI sur vous, notamment lorsque vous êtes en déplacement, afin que votre opérateur puisse bloquer complètement l'iPhone en cas de perte ou de vol.

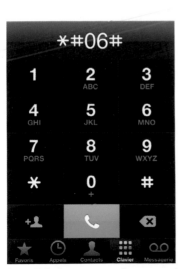

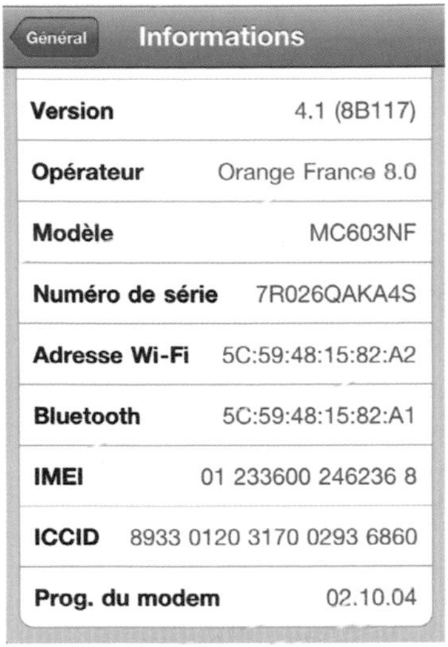
Général
Informations
Version 4.1 (8B117)
Opérateur Orange France 8.0
Modèle MC603NF
Numéro de série 7R026QAKA4S
Adresse Wi-Fi 5C:59:48:15:82:A2
Bluetooth 5C:59:48:15:82:A1
IMEI 01 233600 246236 8
ICCID 8933 0120 3170 0293 6860
Prog. du modem 02.10.04

Figure 5.4 : Notez les 15 chiffres du code IMEI.

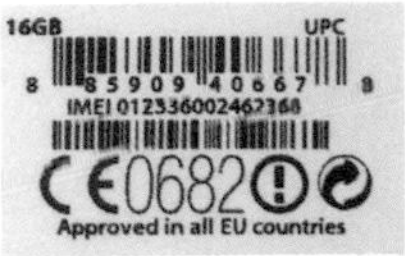
16GB
UPC
Approved in all EU countries

Figure 5.5 : Le code IMEI se trouve aussi sous la boîte de l'iPhone.

*#06#
1
2 ABC
3 DEF
4 GHI
5 JKL
6 MNO
7 PQRS
8 TUV
9 WXYZ
*
0 +
#
Favoris
Appels
Contacts
Clavier
Messagerie

Figure 5.6 : Composez ce numéro pour connaître le code IMEI d'un téléphone mobile.

Composer un numéro

1. Sur l'écran d'accueil, touchez l'icône Téléphone.

2. Si le clavier du téléphone n'est pas affiché, touchez l'icône Clavier, en bas de l'écran.

3. Composez le numéro (Figure 5.7).

4. Touchez le bouton vert.

L'iPhone compose le numéro de téléphone du correspondant.

Pour mettre fin à l'appel, touchez le bouton Raccrocher, visible durant toute la communication.

 Il existe d'autres moyens que le clavier pour joindre un correspondant au téléphone :

Figure 5.7 : Le clavier n'est qu'un moyen parmi d'autres de composer un numéro.

- Toucher un numéro de téléphone dans la fiche d'un contact (Figure 5.8). L'iPhone compose aussitôt le numéro en question.

- Toucher un numéro de téléphone dans une page Web affichée dans Safari. L'iPhone compose directement le numéro. Dans certains cas, il ouvre un panneau proposant diverses actions (Figure 5.9). Choisissez la première option Composer le [*numéro*].

Figure 5.8 : Touchez le numéro de téléphone d'un contact pour l'appeler.

Figure 5.9 : La première option compose automatiquement le numéro que l'on a touché du doigt dans une page Web.

Composer vocalement un numéro

1. Maintenez le bouton principal enfoncé jusqu'à ce que l'écran Contrôle vocal apparaisse (Figure 5.10).

   Ou alors, maintenez enfoncé le bouton central de la mini-télécommande des écouteurs livrés avec l'iPhone.

2. Dites « Appeler » suivi par l'un de ces éléments :

   • Les chiffres à composer

   • Le nom d'un contact.

   • Le nom d'un contact suivi du téléphone à joindre (Exemple : Marianne sur Mobile).

   L'Phone compose le numéro. Si le numéro est celui d'un contact, son nom, le type de téléphone (Figure 5.11) et sa photo, si elle a été ajoutée à sa fiche, sont visibles.

Si l'iPhone ne comprend pas la demande, une voix féminine demande de répéter. Lorsqu'un contact possède plusieurs numéros, la voix féminine demande de préciser : domicile ? mobile ? bureau ? iPhone ?

Lorsque l'environnement est bruyant ou si la prononciation n'est pas parfaite, l'iPhone peut composer un numéro erroné. Surveillez l'écran pour vérifier le numéro composé.

Figure 5.10 : Les mots qui défilent sur l'écran du contrôle vocal sont ceux que l'iPhone comprend.

Figure 5.11 : L'iPhone vient de composer l'un des numéros du contact : celui de son domicile.

Ne pas afficher votre numéro de téléphone

1. Sur l'écran d'accueil, touchez Réglages > Téléphone > Afficher mon numéro.

2. Choisissez l'une de ces deux actions :

   • Désactiver la commande Afficher mon numéro : le correspondant que vous appelez ne voit pas le numéro de téléphone de votre iPhone.

   • Activer la commande Afficher mon numéro : le numéro de votre iPhone apparaît sur l'afficheur du téléphone de votre correspondant (Figure 5.12).

3. Appuyez sur le bouton principal pour quitter les réglages.

 Tirez la liste des contacts pour voir la partie supérieure cachée. Si le numéro de téléphone de votre iPhone est visible, il le sera aussi sur le téléphone de vos correspondants.

Activer le renvoi d'appel

1. Sur l'écran d'accueil, touchez Réglages > Téléphone > Renvoi d'appel.

2. Activez la fonction Renvoi d'appel.

   Un clavier de téléphone apparaît (Figure 5.13).

3. Saisissez le numéro de téléphone vers lequel les appels arrivant à votre iPhone doivent être transférés.

4. Touchez le bouton Renvoi d'appel, en haut à gauche.

5. Appuyez sur le bouton principal pour quitter les réglages.

 La vidéophonie par FaceTime n'est pas prise en charge même si le renvoi est effectué vers un iPhone 4.

Figure 5.12 : Le numéro de téléphone de votre iPhone sera affiché sur le téléphone de vos correspondants.

Figure 5.13 : Saisissez le numéro vers lequel les appels seront déroutés.

Prendre un appel

1. Touchez le bouton Répondre.

Si vous avez associé une photo au contact qui vous appelle (comme expliqué au prochain chapitre), cette photo est affichée en fond d'écran (Figure 5.14). Le nom du contact est affiché ainsi que le type de téléphone qu'il utilise (un téléphone par Internet, par exemple). Si le correspondant ne figure pas parmi vos contacts, son numéro de téléphone est affiché, ou la mention « Inconnu », ou « Numéro masqué » s'il a choisi de ne pas divulguer son numéro.

Pour refuser un appel, touchez le bouton Refuser, ou double-cliquez avec le bouton Marche/Veille. Ou encore, si vous utilisez les écouteurs, pincez la partie centrale pendant deux secondes.

2. Pour mettre fin à l'appel, touchez le bouton Raccrocher.

Pour mieux entendre votre correspondant, ou faire entendre la conversation autour de vous, ou pour utiliser une oreille Bluetooth, touchez le bouton Haut-parleur.

Pour que votre correspondant n'entende pas un aparté, touchez le bouton Silence.

Vous pouvez accéder à d'autres applications au cours d'un appel. Par exemple, pour noter un rendez-vous, appuyez sur le bouton principal, touchez l'application Calendrier, puis saisissez les informations. Touchez ensuite l'icône Téléphone pour revenir à l'affichage habituel.

Figure 5.14 : Si le correspondant fait partie de vos contacts, l'iPhone affiche son nom, le type de téléphone utilisé et éventuellement sa photo.

Figure 5.15 : Le pavé central contient les commandes du téléphone.

Prendre un autre appel

1. Vous êtes en train de converser et un nouvel appel est annoncé.

2. Sur le panneau qui apparaît, touchez le bouton Suspendre et répondre (Figure 5.16).

Si vous désirez mettre fin à l'appel en cours et ne prendre que le nouveau correspondant, touchez le bouton Raccr. et répondre (l'étape 3 ne vous concerne alors plus).

3. Pour revenir au premier correspondant, touchez le bouton Permuter qui s'est substitué au bouton FaceTime (Figure 5.17).

 Vous pouvez aussi passer d'un correspondant à un autre en touchant son nom, son numéro de téléphone (ou la mention « Appel masqué » ou « Inconnu ») en haut de l'écran.

Figure 5.16 : Suspendez l'appel en cours pour parler au nouveau correspondant

Figure 5.17 : Touchez le bouton Permuter, ou une des deux barres en haut de l'écran, pour passer d'un correspondant à un autre.

Consulter la messagerie vocale

1. Deux situations peuvent se produire :

a) Vous n'avez pas eu le temps de décrocher. Un chiffre dans un rond rouge, sur l'icône Téléphone (Figure 5.18), indique le nombre de messages laissés dans la messagerie de l'iPhone.

b) L'iPhone était éteint. Après l'avoir rallumé, une notification de message(s) est affichée (Figure 5.19). Ce message apparaît aussi dans le premier cas, après quelques minutes. Touchez le bouton Écouter pour entendre le message.

2. Pour accéder aux messages laissés dans la boîte vocale, touchez Téléphone > Messagerie.

3. Dans la liste des messages, touchez le nom de contact, le numéro de téléphone ou la mention « inconnu » du message que vous désirez écouter.

4. Touchez le bouton de lecture – un triangle blanc dans un rond bleu – à gauche du message (Figure 5.20).

Pour mieux entendre le message, augmentez le son ou touchez le bouton Haut-parleur, en haut à droite.

Pour connaître la date et l'heure de l'appel à la seconde près, touchez le bouton à droite du message.

Pour rappeler le correspondant, touchez le message puis touchez le bouton Appeler.

Figure 5.18 : Vous n'avez pas eu le temps de décrocher, mais votre correspondant a laissé un message.

Figure 5.19 : Un message téléphonique vous attend.

Figure 5.20 : Touchez le message à écouter, puis démarrez le son en touchant le bouton à sa gauche.

Voir les appels manqués

1. Sur l'écran d'accueil, touchez Téléphone > Appels.

L'iPhone affiche la liste des appels reçus et envoyés (Figure 5.21). Une icône avec un combiné et une flèche indique les appels envoyés. Les appels manqués sont en rouge.

2. Touchez le bouton Manqués, en haut de la liste.

Seuls les numéros auxquels vous n'avez pas pu répondre sont affichés (Figure 5.22).

3. Dans la liste, touchez le nom d'un contact ou un numéro de téléphone afin de rappeler le correspondant.

Cette action est impossible avec les numéros masqués ou inconnus.

Toucher le bouton bleu à droite d'un appel permet d'avoir des détails. Si le correspondant figure dans vos contacts, sa fiche apparaît avec l'indication de la date et de l'heure de l'appel. Autrement, la mention « Appelant inconnu » est affichée, ainsi que la date et l'heure de l'appel.

Pour ajouter un appel manqué aux contacts, touchez le bouton fléché bleu puis l'option Créer un nouveau contact. Si le correspondant figure déjà parmi vos contacts, mais qu'il possède un autre numéro de téléphone, touchez le bouton Ajouter à un contact existant.

Le bouton Effacer, en haut à droite, supprime la totalité de la liste d'appels manqués.

Figure 5.21 : Tous les appels reçus, envoyés et manqués sont mêlés.

Figure 5.22 : Seuls les appels auxquels vous n'avez pas pu répondre sont affichés.

Désactiver ou réactiver le vibreur

1. Sur l'écran d'accueil, touchez Réglages > Sons.

2. Activez ou désactivez l'un des deux commutateurs Vibreur (Figure 5.23) :

- **Silencieux** : vibreur seul. Il fonctionne lorsque le taquet en haut de la tranche gauche de l'iPhone est actif (tiret rouge). L'iPhone ne sonne plus lors de la réception d'un appel, mais le vibreur fonctionne s'il est actif.

- **Sonnerie** : vibreur puis sonnerie. Quand cette option est active, le vibreur précède la sonnerie quand vous recevez un appel.

3. Appuyez sur le bouton principal pour quitter les réglages.

 La glissière sous le vibreur de la sonnerie ne lui est pas associée. Elle règle en réalité le volume de la sonnerie (il aurait été plus judicieux de placer cette glissière sous Sonnerie plutôt qu'au-dessus).

Figure 5.23 : Dans l'iPhone, le vibreur est associé à deux fonctions : le taquet Silencieux et la sonnerie.

Créer un numéro favori

1. Sur l'écran d'accueil, touchez l'application Contacts.

2. Touchez le contact dont vous désirez placer un ou plusieurs numéros de téléphones parmi les favoris.

3. En bas à droite, touchez le bouton Ajouter aux favoris (Figure 5.24).

   Le numéro de téléphone est ajouté aux favoris. Passer à l'étape 5.

4. Si le contact possède plusieurs numéros de téléphone, l'iPhone les affiche (Figure 5.25). Touchez le numéro à placer parmi les favoris.

5. Si vous utilisez un iPhone 4, un autre panneau demande de préciser s'il s'agit d'un appel vocal ordinaire ou d'un appel en visiophonie (Figure 5.26). Touchez le bouton approprié : Appel vocal ou FaceTime.

   Le numéro choisi se trouve à présent dans la liste des favoris. Dans la fiche du contact, une étoile bleue (Figure 5.27) indique que ce numéro est un favori.

L'étape 5 n'est pas demandée si vous avez désactivé le commutateur FaceTime dans Réglages > Téléphone.

Figure 5.24 : Touchez le bouton Ajouter aux favoris, tout en bas en bas à droite.

Figure 5.25 : Touchez le numéro de téléphone à placer dans les favoris.

Figure 5.26 : Indiquez si vous désirez appeler vocalement ou en utilisant la fonction FaceTime de l'iPhone 4.

Figure 5.27 : Dans la fiche d'un contact, une étoile signale un numéro favori.

Appeler un favori

1. Sur l'écran d'accueil, dans le dock, touchez Téléphone > Favoris. La liste des favoris est affichée (Figure 5.28).

2. Touchez le nom d'un favori pour l'appeler.

 Le bouton [+], en haut à droite, permet d'ajouter un nouveau favori. Touchez-le pour accéder à la liste des contacts, puis continuez comme à la technique précédente.

 Pour modifier l'ordre des favoris, touchez le bouton Modifier, en haut à gauche. Faites ensuite glisser les favoris dans l'ordre désiré en les tirant par le bouton à trois barres, à gauche. Touchez ensuite OK.

 Pour supprimer un ou des favoris, touchez le bouton Modifier, en haut à gauche, touchez le bouton rouge à gauche d'un contact. Puis touchez le bouton Supprimer (Figure 5.29) qui vient d'apparaître. Touchez ensuite OK.

Figure 5.28 : Touchez le favori que vous désirez appeler au téléphone.

Figure 5.29 : Pour supprimer un contact, touchez le bouton rouge à gauche puis le bouton Supprimer, à droite.

Enregistrer une annonce d'accueil

1. Sur l'écran d'accueil, touchez Téléphone > Messagerie.

2. Touchez le bouton Personnaliser, en haut à gauche.

3. Touchez le bouton Enregistrer puis dites le message.

4. Votre discours terminé, touchez le bouton Arrêter.

5. Vérifiez votre annonce en touchant le bouton Écouter.

6. Si l'annonce est correcte, touchez le bouton Enregistrer. Sinon, touchez Annuler et recommencez la procédure depuis l'Étape 1.

L'annonce d'accueil peut être remplacée par une autre en touchant Téléphone > Messagerie. Assurez-vous que l'option Personnalisée est cochée (Figure 5.30), puis touchez le bouton Enregistrer. Après avoir dit votre texte, touchez le bouton Valider, en haut à droite.

Figure 5.30 : L'interface d'enregistrement d'une annonce vocale.

Désactiver le transfert de données

1. Sur l'écran d'accueil, touchez Réglages > Général > Réseau.

2. Actionnez le commutateur Données à l'étranger afin d'activer la fonction (Figure 5.31).

   L'accès à l'Internet par une connexion Wi-Fi est possible. Dans le cas contraire, la plupart des applications ou fonctions exigeant une liaison sans fil (Météo, Bourse, YouTube, App Store, vidéophonie FaceTime…) sont désactivées.

3. Appuyez sur le bouton principal pour quitter les réglages.

Téléphoner depuis l'étranger est soumis à des conditions et des tarifications qui dépendent de votre opérateur de téléphonie (Bouygues, Orange ou SFR). Visitez son site Web pour connaître les détails.

Désactiver la fonction Données à l'étranger n'empêche pas de téléphoner depuis l'étranger ni d'échanger des SMS. Des frais d'itinérance peuvent être appliqués. La désactivation de la téléphonie est expliquée à la technique suivante.

Figure 5.31 : Le commutateur Données à l'étranger empêche la transmission de données informatiques, mais pas la téléphonie.

Désactiver le téléphone

1. Sur l'écran d'accueil, touchez Réglages > Général > Réseau.

2. Actionnez le commutateur Données cellulaires (Figure 5.32).

Le téléphone de l'iPhone n'est plus en état de se connecter à un réseau téléphonique.

3. Appuyez sur le bouton principal pour quitter les réglages.

 Désactivez les données cellulaires afin d'empêcher d'appeler ou de recevoir des appels téléphoniques à l'étranger, qui pourraient être fortement taxés.

Choisir une sonnerie

1. Sur l'écran d'accueil, touchez Réglages > Sons > Sonnerie.

2. Sélectionnez une sonnerie parmi les 25 bruitages de la liste (Figure 5.33).

3. Appuyez sur le bouton principal pour quitter les réglages.

 La sonnerie sélectionnée devient la sonnerie par défaut pour tous les appels téléphoniques que vous recevez.

 Une sonnerie particulière peut être affectée à chacun de vos contacts. Reportez-vous au Chapitre 6, « Gérer les contacts » pour savoir comment procéder.

Figure 5.32 : Le téléphone mobile de l'iPhone est désactivé.

Figure 5.33 : Choisissez la sonnerie par défaut pour les appels que vous recevez.

Créer une sonnerie avec iTunes

1. Démarrez iTunes sur votre ordinateur.

2. Dans le volet de gauche, à la rubrique Bibliothèque, cliquez sur Musique.

3. Cliquez sur le morceau à utiliser (en partie ou en totalité) comme sonnerie pour l'iPhone.

   Pour notre exemple, c'est le début de la musique d'un film du cinéaste allemand W. R. Fassbinder.

4. Écoutez le morceau et notez le début et la fin de la partie à utiliser comme sonnerie.

   Pour cela, au moment précis du début de la partie intéressante, cliquez sur le bouton Lecture (Figure 5.34) afin de suspendre l'écoute et notez l'instant indiqué à gauche de la barre de temps, en haut de iTunes (le temps est exprimé sous la forme mm :ss). Cliquez de nouveau pour écouter le morceau et cliquez pour noter la fin de la partie à utiliser.

5. Cliquez du bouton droit sur le morceau et dans le menu, choisissez Obtenir des informations.

6. Dans la boîte de dialogue iTunes, cliquez sur l'onglet Options.

7. Mettez le curseur Réglage du volume à +100 % (le maximum) afin que votre sonnerie soit aussi tonitruante que possible.

8. Cochez la case Début. Si le début n'est pas au commencement du morceau, saisissez le moment (minute, seconde, centièmes de seconde).

9. Cochez la case Fin et saisissez le moment de la fin de la sonnerie (Figure 5.35).

Figure 5.34 : Notez le moment du début et de la fin de la partie à convertir en sonnerie.

Figure 5.35 : Réglez le volume au maximum puis entrez les temps de début et de fin de la partie à retenir.

10. Cliquez sur l'onglet Infos.

11. Dans le champ Nom, donnez un nom au fichier de la sonnerie, puis cliquez sur OK (Figure 5.36).

12. Dans la barre de menus de iTunes, cliquez sur Avancé > Créer une version AAC.

Une copie du morceau original est créée au format AAC (*Audio Advanced Coding*). Dans iTunes, elle se trouve juste sous le morceau original et sa durée est celle configurée aux étapes 8 et 9.

13. Cliquez du bouton droit sur la copie au format AAC et dans le menu, choisissez Afficher dans l'Explorateur Windows (PC) ou Afficher dans Finder (Mac).

14. Renommez l'extension « .m4a » du fichier en « .m4r ».

Le « r » est celui de *Ring*, « Sonnerie » (Figure 5.37).

Figure 5.36 : Dans le champ Nom, nommez le fichier de la sonnerie.

Figure 5.37 : Les fichiers « .m4r » sont des fichiers de sonnerie.

15. Dans l'Explorateur Windows ou le Finder, cliquez du bouton droit sur le fichier «.m4r» et dans le menu, choisissez Ouvrir avec. Sélectionnez iTunes.

Vous entendez la sonnerie.

16. Connectez l'iPhone et, dans le volet de gauche, cliquez sur le nom de l'iPhone.

17. Dans la barre de menus, cliquez sur le bouton Sonnerie puis cochez la case Synchroniser les sonneries.

18. Cliquez sur le bouton d'option Sonneries sélectionnées.

La sonnerie que vous venez de configurer est affichée.

19. Cochez la sonnerie (Figure 5.38) puis cliquez sur le bouton Appliquer (Windows) ou Synchroniser (Mac).

La synchronisation transfère la sonnerie dans l'iPhone.

20. Dans l'iPhone, touchez Réglages > Sons > Sonnerie.

La sonnerie apparaît en haut de la liste, dans la rubrique intitulée Personnalisée (Figure 5.39). Touchez-la pour en faire la sonnerie par défaut.

21 Appuyez ensuite sur le bouton principal pour quitter les réglages.

Windows doit être configuré pour que les extensions de fichier soient affichées dans l'Explorateur Windows.

Figure 5.38 : La sonnerie est prête à être transférée dans l'iPhone.

Figure 5.39 : La sonnerie que vous venez de créer vient d'être ajoutée aux sonneries de l'iPhone.

Régler le volume de la sonnerie

1. Sur l'écran d'accueil, touchez Réglages > Sons.

2. Actionnez le curseur de la glissière au-dessus de l'option Sonnerie (Figure 5.40).

Dès que vous relâchez le curseur, la sonnerie par défaut retentit. Procédez par approximations successives jusqu'à ce que le niveau vous convienne.

3. Appuyez sur le bouton principal pour quitter les réglages.

Le volume de la sonnerie est réglable avec les deux boutons sur la tranche de gauche de l'iPhone, ou avec ceux de la mini-télécommande des écouteurs, mais quand vous les utilisez, vous modifiez le volume de toutes les applications sonorisées (radio, télévision...), contrairement à cette glissière qui ne règle que le volume de la sonnerie.

Figure 5.40 : La glissière règle le volume de la sonnerie du téléphone.

Voir le correspondant en vidéo

1. Si vous appelez un contact, touchez le bouton FaceTime, en bas à droite de sa fiche (Figure 5.41). Votre correspondant devra accepter d'être vu.

Si le contact ne possède qu'un seul numéro de téléphone, l'iPhone le compose et démarre FaceTime. Autrement :

2. Dans le panneau montrant tous les numéros de téléphone du contact, touchez celui que vous désirez composer.

L'iPhone compose le numéro et démarre FaceTime.

 La fonction FaceTime (Figure 5.42) ne peut être activée qu'entre deux iPhone 4 ou ultérieur, ou entre un iPhone et un iPod Touch (uniquement les modèles récents équipés d'un objectif du côté de l'écran).

 Une connexion par FaceTime n'est possible que si les deux iPhone sont connectés par la Wi-Fi. Une connexion FaceTime par 3G ou EDGE n'est pas possible car la vidéophonie ne transite pas par le réseau téléphonie mobile (c'est une fonction purement Internet).

 Si le correspondant est déjà en ligne et qu'il utilise un iPhone 4, touchez le bouton FaceTime pour démarrer la vidéophonie. C'est l'icône au milieu dans la rangée du bas, sur le pavé central (Figure 5.43).

 Pour montrer à votre correspondant ce que vous regardez – et non votre visage –, touchez l'icône de permutation des objectifs photo, en bas à droite. L'iPhone utilisera l'objectif situé au dos du boîtier. Au lieu de filmer votre visage, l'iPhone montrera ce qui se trouve devant vous. C'est un excellent moyen de montrer votre lieu de vacances ou la pièce où vous trouvez, ou les gens qui sont avec vous.

Figure 5.41 : Touchez le bouton FaceTime pour converser en vidéophonie.

Figure 5.42 : Une conversation FaceTime entre deux iPhone 4.

Figure 5.43 : Touchez le bouton FaceTime pour voir votre correspondant.

Suivre la consommation téléphonique

1. Touchez Téléphone > Clavier puis composez le numéro de téléphone correspondant à votre opérateur téléphonique :
   - **Bouygues** : 680 (appel décompté du forfait)
   - **Orange** : #123# (appel gratuit)
   - **SFR** : 950 (appel gratuit).

2. Touchez le bouton d'appel vert.

   L'état de votre forfait est affiché (Figure 5.44).

   Dans le cas d'un abonnement Orange, vous pouvez obtenir des informations supplémentaires en continuant comme suit :

3. Notez le numéro de l'option que vous désirez consulter (comme 1 :Menu, 2 :Suivi conso+ ou 3 :Aide).

4. Touchez le bouton Répondre.

5. Dans le panneau répondre, touchez le bouton « .?123 », en bas à gauche du clavier, pour afficher le clavier numérique.

6. Saisissez le numéro de l'option à consulter (Figure 5.45) et appuyez sur le bouton Répondre, en haut à droite.

   Les renseignements demandés apparaissent.

   Répétez les étapes 3 à 6 pour d'autres informations (Figure 5.46).

 Une autre manière de suivre la consommation consiste à télécharger une application depuis l'App Store : Orange et moi (Orange), SFR Mon compte (SFR) ou Suivi Conso (Bouygues).

Figure 5.44 : Le relevé de consommation d'un forfait Origami d'Orange.

Figure 5.45 : Des renseignements supplémentaires sont accessibles en utilisant le clavier numérique.

Figure 5.46 : Informez-vous sur les services offerts par votre forfait.

Gérer les contacts

L'application Contacts est le carnet d'adresses de votre
iPhone. Les fiches qui s'y trouvent peuvent être importées
par synchronisation à partir du Carnet d'adresses du Mac,
du Carnet d'adresses de Windows (dossier Contacts), du carnet
d'adresses Yahoo!, des Contacts Google et depuis Outlook.

Les contacts peuvent aussi être créés directement dans l'iPhone,
comme nous le verrons d'ici peu. L'application Contacts de
l'iPhone est cependant beaucoup plus qu'un simple répertoire de
nom. Comme vous le découvrirez à l'usage – et dans ces pages
– vous pourrez, d'un simple toucher, composer un numéro de
téléphone ou voir sur un plan où habite telle ou telle personne.

Créer un contact

1. Sur l'écran d'accueil, touchez Contact.

2. Dans la liste des contacts (ou dans la liste vide si aucun n'a été créé) touchez le bouton [+] en haut à droite (Figure 6.1).

3. Dans le formulaire qui apparaît (Figure 6.2), saisissez les informations concernant le contact :

- Prénom.

- Nom : lorsqu'un nom est entré, une icône avec la silhouette d'un visage illustre la fiche. Elle peut être remplacée par une photo, comme nous le verrons plus loin.

Figure 6.1 : Touchez l'icône [+], en haut à droite, pour créer un nouveau contact.

Figure 6.2 : Une fiche de contact vierge.

- Entreprise : si le contact est une entreprise, son nom est le titre de la fiche (voir Figure 5.8, au chapitre précédent), illustrée par une icône spécifique (Figure 6.3). Si un nom et un prénom ont été saisis, le nom de l'entreprise figure en petit sous ces informations, dans la fiche (voir Figure 5.41, au chapitre précédent).

- Mobile : saisissez le numéro de téléphone du contact. La prochaine technique explique comment ajouter d'autres numéros. Ne saisissez pas les espaces, car l'iPhone les insère automatiquement.

- Domicile : saisissez l'adresse Internet de votre contact. Il vous suffira de la toucher sur la fiche pour ouvrir la messagerie Mail et envoyer un courrier électronique déjà préadressé.

- Sonnerie : acceptez la sonnerie par défaut, définie dans Réglages > Sons > Sonnerie.

- Site Web : si votre contact possède une page perso ou un blog, saisissez son adresse ici. Dans sa fiche, toucher cette adresse ouvrira le site ou le blog dans Safari.

- Adresse : touchez la croix blanche dans le bouton rouge pour ouvrir des champs de saisie (Figure 6.4) dans lesquels vous taperez la rue, le code postal et le nom de la ville. Toucher l'adresse dans la fiche montrera le lieu où habite le contact, dans l'application Plans (nous y reviendrons plus loin dans ce chapitre).

- Ajouter un champ : cette option est décrite plus loin dans ce chapitre.

4. Touchez le bouton OK pour enregistrer la fiche du contact.

Pour modifier les données d'un contact, accédez à sa fiche dans l'application Contacts, puis touchez le bouton Modifier, en haut à droite. Touchez ensuite les champs à modifier puis effectuez les corrections.

Touchez une des lettres à droite de la liste de contacts pour accéder aux contacts dont le nom commence par cette lettre.

Figure 6.3 : De gauche à droite, une icône de particulier, une icône d'entreprise et icône avec photo.

Figure 6.4 : Les champs de saisie d'une adresse postale.

Trier les contacts

1. Sur l'écran d'accueil, touchez Réglages > Mail, Contacts, Calendrier.

2. Faites défiler le panneau pour atteindre les options du bas.

3. Touchez l'option Ordre de tri et choisissez l'une de ces options :

- **Prénom nom** : dans la liste des contacts, le tri est effectué sur le prénom, même si l'ordre d'affichage est Nom prénom (Figure 6.5).

- **Nom prénom** : dans la liste des contacts, le tri est effectué sur le nom (Figure 6.6), même si l'ordre d'affichage est Prénom nom.

4. Touchez le bouton Mail puis l'option Ordre de tri et choisissez l'ordre Prénom nom ou l'ordre Nom prénom.

5. Appuyez sur le bouton principal pour quitter les réglages.

L'élément sur lequel s'effectue le tri dans la liste des contacts (le nom ou le prénom) est toujours en gras.

Pour faire simple et rationnel, choisissez « Prénom nom » ou « Nom prénom » pour les deux options.

Figure 6.5 : Le tri est effectué sur les prénoms (en gras), bien qu'ils soient placés après le nom.

Figure 6.6 : Le tri est effectué sur les noms (en gras), bien qu'ils soient placés après le prénom.

Ajouter d'autres numéros de téléphone

1. Touchez le contact auquel vous désirez ajouter un numéro de téléphone.

2. En haut à droite, touchez le bouton Modifier.

3. Touchez une ou deux secondes le libellé du champ du numéro de téléphone, puis relevez le doigt.

Une liste de types de numéros de téléphone apparaît (Figure 6.7).

4. Touchez le type, ou libellé, de numéro de téléphone que vous allez saisir : domicile, bureau, iPhone...

Si vous avez trouvé un libellé qui vous convient, passez à l'étape 10, sinon, si le type de téléphone à saisir ne figure pas dans la liste – comme Ligne fixe ou Internet –, continuez à la prochaine étape

5. Allez tout en bas de la liste, touchez Autre puis touchez Ajouter un libellé personnalisé (Figure 6.8).

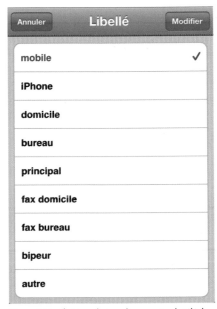

Figure 6.7 : Choisissez le type d'un numéro de téléphone (domicile, bureau...) parmi les libellés proposés...

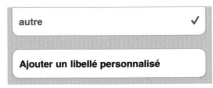

Figure 6.8 : ...ou choisissez de créer un libellé personnalisé.

6. Saisissez le libellé du numéro de téléphone (Figure 6.9).

7. Touchez le bouton Enregistrer.

8. Touchez le bouton OK.

Si le champ est vide, le nouveau libellé remplace l'ancien. Si un numéro de téléphone se trouve dans le champ, un nouveau champ est ajouté à la fiche. De nombreux champs peuvent être affectés à un même contact (Figure 6.10).

Figure 6.9 : Nommez le nouveau libellé.

Figure 6.10 : Extrait de fiche de contact à plusieurs numéros de téléphone.

Supprimer un numéro de téléphone

1. Touchez le contact auquel il faut supprimer un numéro de téléphone.

2. En haut à droite, touchez le bouton Modifier.

3. Touchez le bouton à gauche du numéro de téléphone à supprimer (Figure 6.11).

4. Touchez le bouton Supprimer (Figure 6.12)

   Le champ est supprimé, ainsi que le numéro de téléphone qu'il contenait.

5. Touchez le bouton OK.

Figure 6.11 : Touchez le bouton à gauche du numéro à supprimer...

Figure 6.12 : ...puis touchez le bouton Supprimer.

Ajouter une photo à un contact

1. Placez la photo du contact dans l'application Photos par l'une de ces techniques :

   - Transférez un portrait pris avec un appareil photo numérique en synchronisant le dossier contenant la photo avec l'iPhone, comme expliqué au Chapitre 3, « Synchroniser avec iTunes ».

   - Prenez une photo avec l'iPhone.

   - Copiez une photo envoyée par courrier électronique, comme expliqué au Chapitre 8, « Le courrier électronique », à la technique « Copier une photo reçue par courrier ».

2. Touchez l'application Contact, puis touchez le contact à illustrer.

3. Touchez le bouton Modifier, en haut à droite.

4. Dans la fiche du contact, touchez la mention Ajouter une photo, à l'emplacement destiné à la photo, en haut à gauche de la fiche (visible dans la Figure 6.13).

5. Dans le panneau qui apparaît (Figure 6.13), touchez l'une des deux options :

   - Prendre une photo : continuez à l'étape 6).

   - Choisir une photo : touchez ce bouton, accédez à la photo désirée dans les albums photo, touchez la photo puis passez directement à l'étape 8.

Figure 6.13 : Choisissez de prendre une photo avec l'iPhone ou d'en sélectionner une dans l'application Photos.

6. Touchez le bouton Prendre une photo.

7. Cadrez le sujet puis touchez le bouton vert pour prendre la photo.

Si vous possédez un iPhone 4, vous pouvez réaliser un autoportrait en touchant le bouton de permutation des objectifs, en haut à droite.

8. Si nécessaire améliorez le cadrage la photo en déplaçant la photo du doigt, et/ou agrandissez-la en la touchant et en écartant les doigts (Figure 6.14).

9. Touchez le bouton Valider (prise de vue) ou Choisir.

La photo est insérée dans la fiche du contact. Elle illustrera aussi tous les messages Mail provenant de ce contact.

Touchez le bouton OK.

La photo est insérée dans la fiche du contact (Figure 6.15).

 À l'étape 1, vous devez placez le dossier contenant la photo du contact parmi les dossiers des autres photos déjà synchronisées. Autrement, si vous synchronisiez ce seul dossier, toutes les photos présentes dans l'iPhone, autres que celles prises avec l'iPhone seraient effacées.

 La photo affectée à la fiche d'un contact peut être supprimée dans l'application Photos. Elle est en effet intégrée à la fiche.

Figure 6.14 : Déplacez la photo et/ou agrandissez-la.

Figure 6.15 : La photo du contact est affichée.

Affecter une sonnerie à un contact

1. Sur l'écran d'accueil, touchez l'application Contacts.

   Ou touchez Téléphone > Contacts.

2. Touchez le contact auquel il faut attribuer une sonnerie.

3. En haut à droite, touchez le bouton Modifier.

4. Touchez Sonnerie Par défaut (Figure 6.16).

   Tous les contacts reçoivent d'office la sonnerie par défaut choisie dans Réglages > Sons > Sonnerie.

5. Touchez une sonnerie pour l'écouter.

   Elle est marquée d'une coche (Figure 6.17) et retentit deux fois.

6. Si une sonnerie vous convient, touchez le bouton Enregistrer.

   La sonnerie est affectée au contact (Figure 6.18). Désormais, lorsque ce contact vous appellera, vous entendrez la sonnerie que vous avez choisie.

 Évitez d'attribuer trop de sonneries différentes mais choisissez plutôt une sonnerie par catégorie d'appels : Familial, professionnel... Vous aurez ainsi une idée de l'importance ou de l'urgence de l'appel dès l'audition de la sonnerie.

Figure 6.16 : La sonnerie Par défaut est actuellement sélectionnée.

Figure 6.17 : La sonnerie Par défaut est actuellement sélectionnée.

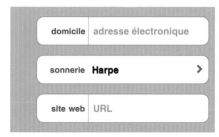

Figure 6.18 : Une sonnerie particulière a été attribuée à ce contact.

Voir le lieu où habite un contact

1. Assurez-vous que l'iPhone est connecté à un réseau (Wi-Fi, 3G ou EDGE).

2. Sur l'écran d'accueil, touchez l'application Contacts.

   Ou touchez Téléphone > Contacts.

3. Touchez le contact que vous désirez localiser sur un plan.

4. Touchez l'adresse postale du contact (Figure 6.19).

   L'emplacement du contact sur le plan est aussitôt indiqué (Figure 6.20).

5. Pour obtenir l'itinéraire vers le contact à partir du lieu où vous êtes, touchez le bouton bleu à droite du nom du contact puis, sous l'adresse, touchez Itinéraire vers ce lieu.

6. Si un bouton rouge se trouve à gauche du nom du contact, sur le plan, touchez-le pour démarrer la fonction StreetView de Google et voir la rue presque comme si vous y étiez (Figure 6.21).

 La fonction StreetView est expliquée plus en détail au Chapitre 13, « Ne pas perdre le nord ».

Figure 6.19 : Touchez l'adresse d'un contact pour voir sa situation sur un plan.

Figure 6.20 : L'iPhone indique sur l'application Plans où se trouve le contact.

Figure 6.21 : Le porche du 60, rue Mazarine à Paris est aussitôt affiché.

SMS texto

*A*utrefois appelés «texto» – mais qui utilise encore ce mot? – les SMS (*Short Message Service*) sont fort commodes pour communiquer rapidement une information brève mais souvent cruciale («ou c kon bouf»). Le clavier des téléphones mobiles est cependant peu approprié à la dactylographie, d'où ces messages réduits à l'essentiel («c ou tu ve»). L'orthographe minimaliste des SMS est aussi justifiée par une autre raison, à savoir la longueur du message limité à 160 caractères, et même 70 lorsque des caractères spéciaux sont utilisés.

L'iPhone présente deux avantages énorme sur les téléphones mobiles : le clavier virtuel permet de saisir le message en clair («où c'est qu'on bouffe? »), le plus facilement du monde, et la longueur du message n'est pas limitée. Toutefois, si vous vous épanchez et que votre interminable prose vous fait dépasser les 160 caractères fatidiques, le message sera compté pour deux SMS par votre opérateur de téléphonie.

Recevoir un SMS

1. Lorsqu'un SMS parvient à l'iPhone, il est aussitôt affiché (Figure 7.1). Sur l'écran d'accueil, un chiffre sur un rond rouge en haut à droite de Message indique qu'un SMS non lu vous attend.

   Si l'iPhone est en veille, vous devrez tirer la glissière Déverrouiller avant de pouvoir répondre.

   Le titre du SMS est, selon le cas, le nom du contact ou le numéro de téléphone de l'expéditeur, ou la mention « Inconnu » si le numéro est caché.

2. Touchez le bouton Répondre.

   Saisissez votre réponse à l'aide du clavier virtuel puis touchez le bouton Envoyer.

   Une conversation par SMS est ainsi engagée. Les messages reçus s'accumulent à gauche de l'écran, sur fond blanc, les messages que vous avez envoyés sont à droite de l'écran, sur fond vert (Figure 7.2).

 Pour ajouter l'expéditeur du SMS à vos contacts, touchez le bouton Ajouter aux contacts, en haut à droite (s'il figure déjà parmi vos contacts, le bouton s'appelle Coordonnées ; le toucher ouvre la fiche du contact).

Figure 7.1 : Le texte du SMS est affiché dès sa réception.

Figure 7.2 : Une conversation par SMS. L'iPhone est en attente de la réponse du correspondant.

Envoyer un SMS ou un MMS

1. Sur l'écran d'accueil, touchez le bouton Messages, puis touchez le bouton en haut à droite de la liste des SMS.

2. Dans le champ « À », saisissez un numéro de téléphone ou le nom d'un contact.

Si vous avez saisi le nom d'un contact, la liste des contacts est affichée sous le champ de saisie (Figure 7.3). Elle s'amenuise au fur et à mesure que vous tapez. Touchez le numéro de téléphone vers lequel vous désirez envoyer le SMS.

3. Pour ajouter d'autres destinataires, touchez le bouton [+] sur fond bleu, en haut à droite.

4. Touchez le champ au-dessus du clavier virtuel puis saisissez votre message (Figure 7.4).

5. Si vous désirez joindre une photo ou une vidéo, touchez l'icône en forme d'appareil photo, à gauche du champ de saisie. Dans le menu, choisissez ensuite de prendre une photo ou d'en choisir une dans l'application Photos.

Un SMS accompagné d'une photo est un MMS (*MultiMedia Short message*).

6. Touchez le bouton Envoyer.

 L'envoi d'un MMS est plus onéreux que celui d'un SMS. Renseignez-vous auprès de votre opérateur.

 Pour ajouter un champ Objet à vos SMS ou MMS, touchez Réglages > Messages. Activez ensuite le commutateur Champ Objet.

Figure 7.3 : Saisissez le numéro de téléphone du correspondant ou son nom, si c'est l'un de vos contacts.

Figure 7.4 : Saisissez le texte de votre MMS.

Afficher le nombre de caractères

1. Sur l'écran d'accueil, touchez Réglages > Messages.

2. Tout en bas du panneau, activez le commutateur Nbre de caractères (Figure 7.5).

3. Appuyez sur le bouton principal pour quitter les réglages.

Le compteur de caractères (Figure 7.6) n'apparaît au dessus du bouton Envoyer que si deux lignes au moins ont été écrites. Le premier chiffre indique le nombre de caractères utilisés, le second le nombre total de caractères autorisés.

Le compteur n'est pas visible lorsque le champ Objet est affiché, ou si une photo ou une vidéo a été jointe au message.

Le nombre de caractères par SMS est de 160. Mais si vous utilisez des caractères spéciaux comme la cédille (comme dans « reçu ») l'accent circonflexe (comme dans « être ») et d'autres encore, le codage informatique particulier de ces caractères réduit le SMS à 70 caractères seulement.

Figure 7.5 : Activez le compteur de caractères.

Figure 7.6 : À cause de l'accent circonflexe, la longueur maximale de ce SMS est limitée à 70 caractères.

Dicter un SMS vocal (Orange)

1. Sur l'écran d'accueil, touchez Réglages > Téléphone > Service Orange France.

2. Dans la liste des services (Figure 7.7), touchez Dicto SMS.

L'iPhone compose automatiquement le numéro 767 (Figure 7.8) sur le clavier du téléphone. Une opératrice automatique vous indique ce que vous devez faire.

3. Lorsque la communication avec l'opératrice est établie, touchez l'icône Clavier, au milieu de l'écran, puis tapez la touche 0 (zéro).

Ce numéro fournit les instructions utiles. Touchez ensuite 1 pour passer à la composition du numéro du destinataire et à la dictée du SMS.

Votre correspondant recevra le SMS en mode texte.

Vous pouvez aussi composer directement le 767 pour accéder directement au service Dicto d'Orange

Le service Dicto SMS ne fonctionne que vers les abonnés Orange, SFR ou Bouygues.

Figure 7.7 : Au lieu de passer par la commande Dicto SMS, composez directement le 767.

Figure 7.8 : Touchez le bouton Clavier, au milieu de la première rangée, pour accéder aux options du service.

Troisième partie

Internet et précis

"Nous y sommes, le point de vue est juste devant. Tout le monde met "America the Beautiful" à plein volume sur son iPhone."

Le courrier électronique

*E*n une dizaine d'années, une invention qui était limitée à des passionnés d'informatique et permettait tout juste d'échanger des messages textuels est devenu un moyen de communication rapide et efficace.

Contrairement à un appel téléphonique, au cours duquel la tentation est grande de digresser et s'attarder longuement, un message électronique va à l'essentiel. Et contrairement à un courrier envoyé par la poste, l'auteur de la missive ne s'encombre plus de formules de politesses alambiquées. Deux mots à la fin du message suffisent.

Mais surtout, le courrier électronique permet d'envoyer des pièces jointes. Sur un iPhone, vous enverrez ainsi des photos, des vidéos (si elles ne sont pas trop longues), des pense-bêtes pris avec l'application Notes ou la fiche d'un contact.

Synchroniser les comptes de messagerie

1. Connectez l'iPhone à l'ordinateur à l'aide de son câble USB.

2. Démarrez le logiciel iTunes sur le PC (Démarrer > Tous les programmes > iTunes > iTunes) ou sur le Mac (clic sur l'icône iTunes, dans le dock).

3. Dans le volet gauche d'iTunes, cliquez sur le nom de l'iPhone (Figure 8.1).

4. Dans la barre de boutons horizontale, cliquez sur Infos.

5. Dans la fenêtre principale, cochez la case Synchroniser les comptes de messagerie de [*menu d'options*] (Figure 8.2)

Si vous utilisez plusieurs logiciels de messagerie, déroulez le menu d'options puis sélectionnez la messagerie contenant les comptes à transférer vers l'iPhone.

6. Assurez-vous que sous Comptes Mail sélectionnés, l'adresse à transférer est cochée.

7. Cliquez sur le bouton Appliquer (Windows) ou Synchroniser (Mac).

La synchronisation commence.

8. Lorsqu'elle sera terminée, décochez la case Synchroniser les comptes de messagerie. Vous pouvez quitter iTunes et déconnecter l'iPhone.

 Cette synchronisation ne transfère que les paramètres de compte et non les courriers électroniques présents dans l'ordinateur.

Figure 8.1 : Démarrez iTunes et sélectionnez votre iPhone (à gauche).

Figure 8.2 : Choisissez le ou les adresses Internet à transférer dans l'iPhone.

Lire un courrier électronique

1. Touchez l'application Mail, dans le dock.

Le nombre de messages non lus est indiqué par un chiffre blanc sur fond rouge.

2. Dans mail, touchez Réception (Figure 8.3).

Le nombre de messages non lus est indiqué à droite.

3. Dans la boîte aux lettres Réception, examinez les aperçus des messages (Figure 8.4) reçus sachant que :

- Le point bleu à gauche indique que le message n'a pas encore été lu.

- L'heure de réception se trouve en haut à droite du message. Si le message est un peu ancien, la date peut être Hier ou le jour de la semaine (Dimanche, Lundi, Mardi…).

- Le nombre de lignes des aperçus est configurable en touchant Réglages > Mail, Contacts, Calendrier > Aperçu. Choisissez ensuite le nombre de lignes (aucune, ou de 1 à 5 lignes).

4. Touchez un message pour le lire.

Le message est affiché (Figure 8.5). Notez que :

- Les boutons fléchés en haut à droite permettent de passer au courrier suivant ou précédent.

- Toucher l'option Détails affiche le nom du ou des destinataires ainsi qu'un bouton Signaler comme non lu, commode pour vous rappeler de revenir à ce courrier quand vous aurez plus de temps à lui consacrer.

En tenant l'iPhone à l'horizontale, en mode Paysage, le texte des courriers est agrandi. Si vous préférez choisir une police de caractère plus grande, touchez Réglages > Mail, Contacts, Calendrier > Taille des caractères, puis choisissez la taille Grande, Très grande ou Géante (par défaut, l'option Moyenne est sélectionnée).

Figure 8.3 : Les boîtes aux lettres de Mail.
Touchez sur Réception pour connaître les derniers
courriers reçus.

Figure 8.4 : Dans la boîte de réception, seules les
premières lignes des messages sont affichées.

Figure 8.5 : Touchez un message pour l'afficher et le lire intégralement.

Rédiger un courrier électronique

1. En bas de l'écran d'accueil, touchez Mail.

2. Touchez l'icône en bas à droite.

3. Commencez à saisir l'adresse du destinataire (Figure 8.6).

Si les caractères saisis correspondent à des noms ou à des adresses de contacts, leurs noms sont affichés. Touchez un nom dans la liste ou continuez la saisie.

Pour ajouter d'autres destinataires, saisissez leur adresse ou, s'ils figurent dans les contacts, touchez le bouton [+] bleu, à droite, puis touchez un contact.

4. Pour envoyer un double du message à des correspondants, touchez le champ Cc/Cci.

Il se scinde en deux champs (Figure 8.7) à utiliser de la manière suivante :

- **Cc** (copie carbone) : Le ou les destinataires reçoivent le message à titre informatif. Chaque destinataire sait à quelles autres personnes le message a été envoyé.

- **Cci** (copie carbone invisible) : Le ou les destinataires reçoivent le message à titre informatif, mais personne ne sait à quels autres Cci le message a été envoyé.

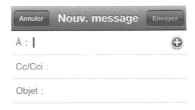

Figure 8.6 : Commencez par saisir le nom du destinataire.

Figure 8.7 : Les destinataires placés en Cci ne sauront pas à quelles autres personnes ce même message a été envoyé.

5. Touchez le champ Objet et indiquez brièvement l'objet du message (Figure 8.8)

6. Touchez la partie inférieure du message puis saisissez le texte du message (Figure 8.9).

7. Le message terminé, touchez le bouton Envoyer, en haut à droite.

Dans les secondes qui suivent, un bruitage signale l'envoi du message.

Notez la présence de la touche @ sur le clavier virtuel. Comme l'iPhone sait que vous en aurez besoin, il la met en bonne place, à droite de la touche Espace.

Quand vous envoyez un message en Cci, mettez votre propre adresse dans l'envoi afin d'assurer une confidentialité totale (autrement, le nom du destinataire dans le champ « À » est affiché). Pour cela, touchez Réglages > Mail, Contacts, Calendrier > M'ajouter en Cci.

Si le message n'a pas pu être envoyé - à cause d'une connexion inexistante par exemple - le message est stockée dans la boîte aux lettres Brouillons. Vous pourrez l'ouvrir, éventuellement le modifier, puis l'envoyer une fois que vous serez connecté à l'Internet

Figure 8.8 : Indiquez toujours l'objet du message.

Figure 8.9 : Rédigez le message.

Répondre à un courrier

1. Le courrier étant ouvert, touchez la deuxième icône à partir de la droite, en bas de l'écran.

Elle est en forme de flèche incurvée pointant vers la gauche (Figure 8.10).

2. Dans le menu qui apparaît, touchez le bouton Répondre (Figure 8.11).

3. Saisissez le texte de la réponse.

4. Touchez le bouton Envoyer.

 Si l'expéditeur avait envoyé le message à plusieurs personnes, un deuxième bouton nommé Répondre à tous (Figure 8.12) est affiché. Touchez le bouton Répondre afin de ne répondre qu'à l'expéditeur, ou le bouton Répondre à tous afin que votre réponse soit envoyée à toutes les personnes auquel le courrier initial a été envoyé.

 Une flèche grise incurvée, dans la marge de gauche, signale qu'une réponse à ce message a été envoyée.

Bonsoir Bernard !

Avec mon nouvel appareil, j'ai pris des photos bien trop lourdes, l'engin étant réglé sur la plus haute qualité 12 Mo.

Je suis bien embarrassé pour les uploader sur mon site de tirages sur papier Snapfish.

Y a t-il moyen de faire maigrir ces photos pour les ramener autour de 1 Mo au lieu de 4 ?

Merci pour toute info !

Figure 8.10 : Touchez la deuxième icône à partir de la droite, en bas de l'écran, pour répondre au message.

Figure 8.11 : Touchez le bouton Répondre.

Figure 8.12 : Ne répondez qu'à l'expéditeur ou à toutes les personnes qui ont reçu le message.

Transférer un courrier

1. Le courrier étant ouvert, touchez la deuxième icône à partir de la droite, en bas de l'écran.

   Elle est en forme de flèche incurvée pointant vers la gauche (Figure 8.13).

2. Dans le menu qui apparaît, touchez le bouton Transférer (Figure 8.14).

3. Saisissez l'adresse du destinataire.

4. Ajoutez éventuellement un commentaire dans le message.

5. Touchez le bouton Envoyer.

 Dans le champ Objet, le mot « Fwd : » qui précède l'intitulé est l'abréviation de *Forwarded*, « transféré », en anglais.

 Une flèche horizontale grise dans la marge de gauche signale que ce message a été transféré à quelqu'un d'autre.

Bonsoir Bernard !

Avec mon nouvel appareil, j'ai pris des photos bien trop lourdes, l'engin étant réglé sur la plus haute qualité 12 Mo.

Je suis bien embarrassé pour les uploader sur mon site de tirages sur papier Snapfish.

Y a t-il moyen de faire maigrir ces photos pour les ramener autour de 1 Mo au lieu de 4 ?

Merci pour toute info !

Figure 8.13 : Touchez la deuxième icône à partir de la droite, en bas de l'écran, pour répondre au message.

Figure 8.14 : Touchez le bouton Transférer.

Ouvrir une pièce jointe

1. Ouvrez le message contenant une ou plusieurs pièces jointes (Figure 8.15).

2. Touchez une pièce jointe (Figure 8.16) pour afficher son contenu (Figure 8.17).

   L'iPhone est capable d'afficher le contenu des fichiers suivants :

   - Acrobat Reader : .pdf
   - Carte de visite virtuelle : .vcf
   - Excel : .xls, .xlsx
   - Images : .jpg, .tiff, .gif
   - Keynote (iWork) : .key
   - Numbers (iWork) : .numbers
   - Pages Web : .htm, .html
   - Pages (iWork) : .pages
   - PowerPoint : .ppt, .pptx
   - Texte enrichi : .rtf
   - Texte brut : .txt
   - Word : .doc, .docx

Figure 8.15 : Un trombone à droite du nom de l'expéditeur indique la présence d'au moins une pièce jointe.

Figure 8.16 : Touchez une pièce jointe pour l'ouvrir.

Si un type de pièce jointe ne peut pas être ouvert, Mail montre néanmoins le fichier. Transférez-le éventuellement vers un ordinateur pour l'ouvrir

 Si la pièce jointe est un fichier .pdf et que l'application gratuite iBooks a été installée dans l'iPhone, un bouton « Ouvrir dans » est affiché. Touchez-le pour ajouter la pièce jointe dans votre bibliothèque de livres virtuels (cette pièce jointe peut être un manuel ou un mode d'emploi utile à emporter en voyage).

 Si plusieurs applications de l'iPhone sont capables d'ouvrir une pièce jointe, maintenez le doigt sur le nom de la pièce jointe, à l'étape 2, pour afficher le menu de la Figure 8.18. Touchez ensuite l'option de votre choix.

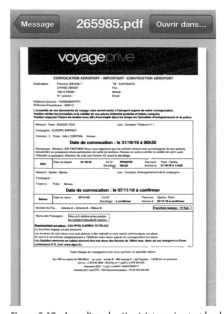

Figure 8.17 : Agrandissez la pièce jointe en écartant les doigts afin de la lire.

Figure 8.18 : Les options de pièce jointe.

Enregistrer un brouillon

1. Rédigez le courrier (ou la réponse à un courrier).

2. En haut à gauche de l'écran, touchez le bouton Annuler.

3. Touchez le bouton Enregistrer le brouillon (Figure 8.19).

Mail stocke le brouillon du message dans la boîte aux lettres Brouillons, où vous pourrez le rouvrir en le touchant un instant, afin de le compléter, puis l'envoyer.

Supprimer un courrier

1. Effleurez le message de gauche à droite ou de droite à gauche.

Un bouton rouge Supprimer apparaît (Figure 8.20).

2. Touchez le bouton Supprimer.

Le message est aussitôt envoyé dans la corbeille de Mail.

Figure 8.19 : Touchez le bouton Enregistrer le brouillon.

Figure 8.20 : Touchez le bouton Supprimer pour envoyer le message vers la corbeille.

Supprimer de multiples courriers

1. Dans la boîte aux lettres, touchez le bouton Modifier, en haut à droite.

2. Dans la marge de gauche, touchez le cercle de chacun des messages à supprimer.

   Mail place une coche dans les cercles touchés (Figure 8.21). Le bouton Supprimé, en bas à gauche, indique le nombre de messages sélectionnés (qui sont aussi signalés par une coloration bleutée).

3. Touchez le bouton Supprimer, en bas à gauche.

   Les messages sélectionnés sont envoyés dans la corbeille de Mail.

Vider la corbeille de Mail

1. Sur l'écran d'accueil, touchez Mail > Corbeille.

2. Dans la boîte aux lettres Corbeille, touchez le bouton Modifier, en haut à droite.

3. Exécutez l'une des actions suivantes :

   • Pour supprimer sélectivement des messages, touchez le cercle à leur gauche, puis touchez le bouton Supprimer, en bas à gauche.

   • Pour vider entièrement la corbeille, touchez le bouton Tout supprimer (Figure 8.22), en bas à gauche.

4. Si vous avez choisi de tout supprimer, confirmez votre intention dans le panneau de confirmation qui apparaît, en touchant le bouton Tout supprimer (Figure 8.23).

Les messages supprimés de la corbeille sont définitivement effacés.

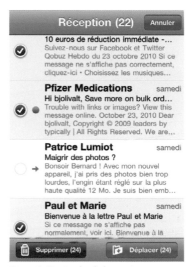

Figure 8.21 : Touchez le bouton Supprimer pour envoyer tous les messages sélectionnés vers la corbeille.

Figure 8.22 : Si aucun fichier n'est coché, touchez le bouton Tout supprimer pour vider la corbeille.

Figure 8.23 : Confirmez votre intention de vider complètement la corbeille.

Déplacer du courrier

1. Ouvrez le message à déplacer.

2. En bas de l'écran, touchez la deuxième icône à partir de la gauche (Figure 8.24)

Elle représente un dossier orné d'une flèche vers le bas.

3. Touchez la boîte aux lettres (BAL) dans laquelle vous désirez placer le message (Figure 8.25).

4. Pour accéder au message déplacé, appuyez sur le bouton en haut à gauche (il porte le nom de la boîte aux lettres courantes) et appuyez ensuite sur le nom de la BAL contenant à présent le message.

Dans la boîte aux lettres de destination, le message est inséré dans l'ordre chronologique.

Pour déplacer plusieurs messages en même temps, touchez le bouton Modifier, en haut à droite, sélectionnez les messages en touchant leur cercle, puis touchez le bouton Déplacer, en bas à droite. Choisissez ensuite une BAL de destination.

Figure 8.24 : Touchez la deuxième icône à partir de la gauche, en bas.

Figure 8.25 : Touchez la boîte aux lettres de destination

Régler l'intervalle entre les relèves

1. Sur l'écran d'accueil, touchez Réglages > Mail, Contacts, Calendrier > Nouvelles données.

2. À la rubrique Récupération des données, choisissez l'une des options suivantes (Figure 8.26) :

- **Toutes les 15 minutes** : l'iPhone consulte le serveur de messagerie de votre fournisseur d'accès Internet (FAI) pour savoir si de nouveaux messages sont arrivés.
- **Toutes les 30 minutes.**
- **Toutes les heures.**
- **Manuellement** : la relève est effectuée chaque fois que vous accédez à Mail.

3. Appuyez sur le bouton principal pour quitter les réglages.

La fonction Push (Figure 8.27 n'est justifiée que si le système de messagerie de votre entreprise est équipé de Microsoft ActiveSync Exchange Server 2003 (avec le Service Pack 2), 2007 (Service Pack 1) ou 2010. Si ce n'est pas le cas, il est inutile d'activer Push.

Figure 8.26 : Choisissez l'intervalle de relève du courrier.

Figure 8.27 : La fonction Push n'est utile qu'à certains professionnels.

Supprimer le courrier du serveur

1. Sur l'écran d'accueil, touchez Réglages > Mail, Contacts, Calendrier.

2. À la rubrique Comptes, touchez le nom du compte à configurer.

3. En bas de l'écran Infos du compte, touchez le bouton Avancé.

4. À la rubrique Réglages et réception, touchez Supprimer du serveur.

5. Choisissez l'une des options proposées (Figure 8.28) :

   • **Jamais** : le courrier est envoyé vers l'iPhone, mais les originaux restent sur le serveur de messagerie du fournisseur d'accès Internet.

   • **Sept jours** : le courrier reste pendant une semaine sur le serveur, puis il est supprimé du serveur.

   • **Une fois supprimé de Réception** : tous les courriers supprimés dans la boîte aux lettres Réception de l'iPhone sont aussi supprimés du serveur.

6. Appuyez sur le bouton principal pour quitter les réglages.

L'option par défaut, Jamais, est parfaite. Vous recevez ainsi votre courrier pendant que vous êtes en déplacement, mais de retour chez vous ou au bureau, vous pouvez télécharger de nouveau dans votre ordinateur tout le courrier que vous avez reçu.

Figure 8.28 : Décidez ici du devenir des courriers que vous recevez.

Modifier la taille de la police

1. Sur l'écran d'accueil, touchez Réglages > Mail, Contacts, Calendrier.

2. À la rubrique Mail, touchez Taille des caractères.

3. Choisissez l'une des tailles (Figure 8.29) :

- Petite
- Moyenne (option par défaut)
- Grande
- Très grande
- Géante

4. Appuyez sur le bouton principal pour quitter les réglages.

 La taille des caractères n'est modifiée que dans la zone de texte d'un nouveau message, pendant la saisie. Chez le destinataire, la taille des caractères dans le message, est inchangée

Figure 8.29 : Modifiez la taille des caractères lors de la saisie d'un courrier électronique.

Ajouter l'expéditeur aux contacts

1. Touchez le message pour l'ouvrir.

2. Dans l'en-tête du message, touchez le cartouche contenant le nom de l'expéditeur.

   Une fiche contenant l'adresse électronique du contact apparaît (Figure 8.30).

3. Touchez l'une des deux options suivantes :

   • **Créer un nouveau contact** : une fiche de contact est créée pour l'expéditeur.

   • **Ajouter au contact** : la liste des contacts existants est affichée. Touchez l'un d'eux. L'adresse Internet de l'expéditeur est ajoutée à l'adresse Internet existante, et dans le message, le nom du contact que vous venez de choisir remplace le nom de l'expéditeur.

 L'option Ajouter au contact est surtout intéressante lorsque vous désirez ajouter l'expéditeur à la fiche de contact d'une entreprise.

Figure 8.30 : Choisissez de créer une nouvelle fiche de contact pour l'expéditeur, ou ajouter son adresse Internet à un contact déjà existant.

Changer la signature après les messages

1. Sur l'écran d'accueil, touchez Réglages > Mail, Contacts, Calendrier.

2. Dans le deuxième groupe de réglages de la rubrique Mail, touchez Signature.

Par défaut, la signature « Envoyé de mon iPhone » est ajoutée à la fin de chaque nouveau message que vous créez (Figure 8.31).

3. Dans la fenêtre qui apparaît, touchez l'extrémité droite de la signature puis maintenez le doigt sur la touche d'effacement jusqu'à ce qu'il ait disparu.

4. Saisissez une signature plus personnelle (Figure 8.32).

5. Appuyez sur le bouton principal pour quitter les réglages.

 La même signature est utilisée pour tous les comptes de messagerie de l'iPhone.

Figure 8.31 : Une signature « Envoyé de mon iPhone » est placée à la fin de chaque nouveau message.

Figure 8.32 : Indiquer le numéro de téléphone de l'iPhone à la fin de tous vos messages est une information utile et appréciable.

Choisir le compte de messagerie par défaut

1. Assurez-vous qu'au moins deux comptes ont été créés sur l'iPhone et qu'au moins deux comptes sont actifs.

   Sur l'écran d'accueil, touchez Réglages > Mail, Contacts, Calendrier et à la rubrique Comptes, vérifiez que deux comptes au moins sont présents et que la mention « Courrier » se trouve en dessous (Figure 8.33).

2. Dans Réglages > Mail, Contacts, Calendrier, tout en bas de la rubrique Mail, touchez Compte par défaut.

3. Dans la liste des comptes, touchez le compte à utiliser par défaut (Figure 8.34).

Le compte par défaut défini ici est le compte qui sera systématiquement utilisé pour l'envoi de messages depuis une autre application que Mail, comme Photos, Contacts, et d'autres encore.

Figure 8.33 : Deux comptes au moins doivent être actifs.

Figure 8.34 : Touchez le compte qui sera utilisé par les applications de l'iPhone capables d'envoyer du courrier.

Choisir l'adresse d'expéditeur

1. Sur l'écran d'accueil, touchez Mail.

2. Dans la rubrique Boîte de réception ou dans la rubrique Comptes, touchez le nom du compte (Figure 8.35) à partir duquel un nouveau message doit être envoyé.

3. Touchez l'icône en bas à droite.

Le champ « De » contient l'adresse du compte de messagerie choisi à l'étape précédente.

4. Rédigez le message et envoyez-le.

Si dans le champ De, le nom du compte de messagerie n'est pas le bon, reportez-vous à la technique « Changer de compte expéditeur », juste après celle-ci.

Figure 8.35 : Touchez le compte à partir duquel le message sera envoyé.

Changer l'adresse d'expéditeur

1. Si dans le nouveau message, le champ De contient l'adresse d'un autre des comptes présents dans l'iPhone (Figure 8.36), abstenez-vous bien sûr d'envoyer le message.

2. Touchez le champ Cc/Cci, De.

   Les trois champs Cc, Cci et De sont scindés. L'adresse à changer se trouve dans le champ De (Figure 8.37).

3. Touchez l'adresse dans le champ De.

4. Dans le sélecteur (Figure 8.38), touchez l'adresse d'expéditeur à utiliser.

   Elle remplace aussitôt l'ancienne adresse, dans le champ De.

Figure 8.36 : Cette adresse d'expéditeur n'est pas la bonne.

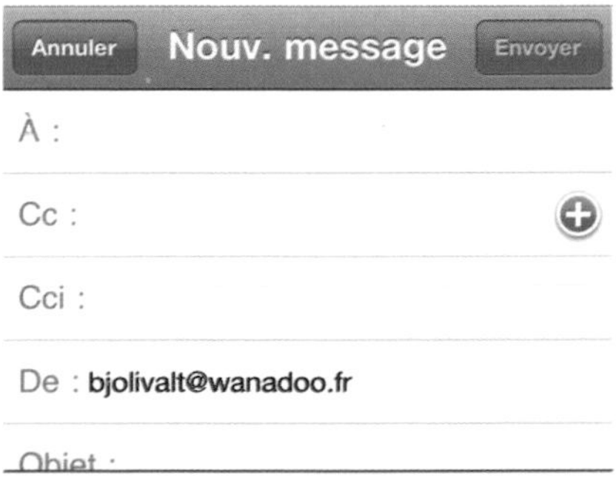

À :

Cc :

Cci :

De : **bjolivalt@wanadoo.fr**

Objet :

Figure 8.37 : Touchez l'adresse d'expéditeur erronée.

Figure 8.38 : Touchez l'adresse à partir de laquelle le message doit être envoyé.

Accéder à la corbeille d'un compte

1. Ouvrez l'application Mail.

   Si un seul compte a été créé dans l'iPhone, l'unique boîte aux lettres Corbeille est affichée. Touchez-la pour y accéder.

2. Si plusieurs comptes de messagerie sont actifs dans l'iPhone, touchez le nom de compte dans la rubrique Comptes, en bas de l'écran (Figure 8.39).

3. Touchez la boîte aux lettres Corbeille (Figure 8.40).

 Lorsque vous touchez un compte dans la partie supérieure de l'écran, vous accédez directement à sa boîte aux lettres Réception.

Figure 8.39 : Touchez un nom de compte dans la partie inférieure de l'écran pour accéder à toutes ses boîtes aux lettres.

Figure 8.40 : Accédez à toutes les boîtes aux lettres du compte, y compris Corbeille.

Vérifier vers quel site pointe un lien

1. Ouvrez le message contenant un lien vers un site Web.

   Le texte d'un lien est généralement écrit en caractères bleus soulignés (Figure 8.41).

2. Maintenez le doigt sur le lien.

   L'adresse du site Web vers lequel pointe le lien est affiché en haut du panneau qui vient d'apparaître (Figure 8.42).

3. Touchez l'un des boutons suivants :

   • **Ouvrir** : ouvre l'application Safari et charge la page Web.

   • **Copier** : le lien copié pourra être collé dans un nouveau message, dans Notes, dans la barre d'adresse de Safari, etc.

   • **Annuler** : touchez ce bouton pour revenir au message.

 N'accédez jamais à un site Web qui vous semble douteux. Ne fournissez jamais aucune information personnelle (état civil, numéro de téléphone, mot de passe, codes de cartes bancaires) demandée après voir touché un lien. Ces informations peuvent être utilisées pour usurper votre identité ou pour vous escroquer.

Figure 8.41 : Touchez de façon continue un lien pour connaître l'adresse Web du site vers lequel il pointe.

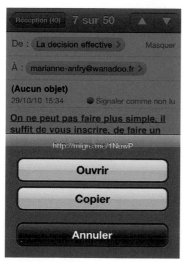

Figure 8.42 : L'adresse est affichée en haut du panneau. Le suffixe Me est celui de l'État du Maine, aux États-Unis.

Rechercher dans les courriers

1. Sur l'écran d'accueil principal, effleurez vers la droite pour accéder à la fonction de recherche dans l'iPhone.

2. Dans le champ Rechercher dans l'iPhone, en haut de l'écran, saisissez le mot, le nom ou tout élément à rechercher.

   Au fur et à mesure de votre saisie, l'iPhone affiche toutes les occurrences trouvées dans des champs d'adresse de Mail, dans les champs Objet ou dans le corps des textes reçus ou envoyés mais aussi dans Contacts, Calendrier (Figure 8.43, dans les morceaux de musique, les vidéos et les podcasts téléchargés, et même dans les applications tierces).

3. Touchez un résultat pour démarrer l'application (Mail par exemple) et accéder à l'endroit où se trouve le texte.

Pour limiter une recherche, touchez Réglages > Général > Recherche Spotlight. Décochez toutes les applications sauf celles dans lesquelles vous désirez effectuer des recherches, comme Courrier (Figure 8.44).

Dans la colonne de gauche des résultats, l'icône des messages Mail est une enveloppe.

Figure 8.43 : Mail affiche des résultats au fur et à mesure de la saisie. Chaque message contenant le mot recherché est affiché.

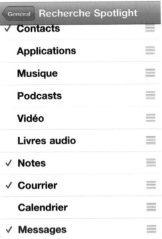

Figure 8.44 : Pour présélectionner les résultats de la recherche, limitez cette dernière aux applications qui vous paraissent utiles, comme Courrier, et Messages (SMS) et Notes.

Suivre une correspondance

1. Dans Mail, accédez à la boîte de Réception. Remarquez le ou les messages arborant un numéro sur fond gris, à droite de l'aperçu (Figure 8.45).

Ce numéro indique le nombre de messages dans le fil de conversation, c'est-à-dire le nombre de messages échangés entre vous et votre correspondant.

2. Touchez le message marqué d'un numéro.

La liste des messages appartenant au fil de conversation est affichée.

3. Touchez le premier message du fil de conversation.

Le texte du message est affiché. La barre de titre contient un bouton avec l'objet, le numéro du message et le nombre de messages du fil de conversation, et des flèches Haut et Bas.

4. Pour passer au message précédent ou suivant, touchez l'une des flèches Haut ou Bas.

L'iPhone crée automatiquement le fil de conversation. C'est un moyen de classement du courrier extrêmement commode car seul le message le plus récent est affiché dans la boîte de réception.

Figure 8.45 : Dans l'aperçu d'un message, un chiffre sur fond gris indique qu'il fait partie d'un échange de courriers avec le correspondant.

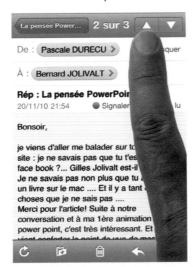

Figure 8.46 : Touchez l'une des flèches en haut à droite pour parcourir tous les courriers électroniques échangés avec ce correspondant.

Surfer sur le Web

L'une des raisons du succès de l'iPhone est son navigateur Web Safari. C'est une version abrégée de la version Mac et Windows, mais néanmoins rapide et très agréable à utiliser. Si vous avez déjà utilisé Safari sur votre ordinateur, vous ne serez guère dépaysé. Mais si vous êtes un habitué d'Internet Explorer (le navigateur pour Windows développé par Microsoft), de Chrome (Google), de Firefox (Mozilla), ou tout autre navigateur Web, utiliser celui de l'iPhone ne vous posera pas de problème.

L'iPhone lit les vidéos aux formats « .mp4 », « .mov » et quelques autres, n'est pas capable de lire les innombrables vidéos au format Adobe Flash qui pullulent sur le Web, notamment sur les sites d'actualité. Ce serait Steve Jobs lui-même, le cofondateur et PDG d'Apple qui, désireux d'imposer son propre ordre moral au monde, aurait interdit la compatibilité avec Flash afin d'empêcher les utilisateurs d'iPhone de visionner des vidéos pornographiques. Pour le moment, les seules solutions alternatives, comme Frash, ne fonctionnent que sur des iPhone bidouillés (« jailbreakés »).

Accéder à un site Web

1. En bas de l'écran d'accueil, dans le dock, touchez l'application Safari.

2. Dans la barre d'adresse en haut à gauche, saisissez l'adresse du site Web auquel vous désirez accéder (Figure 9.1).

3. La saisie terminée, touchez le bouton Accéder, en bas à droite sur le clavier.

   Safari charge la page Web et l'affiche (Figure 9.2.

 Si l'adresse Web est du type `http://www.lenomdusite.com`, vous gagnerez du temps en ne saisissant que « lenomdusite » (sans préfixe ni suffixe) et en touchant Accéder.

 Si l'adresse Web est du type http://www.lenomdusite.fr, saisissez « lenomdusite. fr » (sans le préfixe) et touchez Accéder. Ce raccourci fonctionne avec tous les autres suffixes (.be, .ch, .org, .gouv, etc).

 Quand vous saisissez une adresse Web, Safari suggère des adresses de sites que vous avez déjà visités. Touchez l'un de ces liens s'il correspond à votre recherche, afin d'accéder immédiatement au site vers lequel il pointe.

Figure 9.1 : Saisissez l'adresse du site dans la barre d'adresse, en haut à gauche de Safari.

Figure 9.2 : Safari affiche la page (ici, elle a été agrandie comme expliqué à la prochaine technique).

Naviguer parmi les pages

1. Touchez des liens pour explorer le site.

Les liens sont des textes généralement écrits en caractères bleu et soulignés, ou des images qui, si on les touche, mènent à une autre page du site ou vers un autre site.

2. Pour revenir à la page précédente, que l'on vient de quitter, touchez le bouton fléché en bas à gauche (Figure 9.3).

Le bouton fléché droit permet de revenir à la page suivante.

 Une autre manière de revenir à des pages restées ouvertes dans Safari est expliquée à la prochaine technique.

Figure 9.3 : Les deux boutons en bas à gauche permettent d'aller et venir parmi les pages visitées.

Ouvrir plusieurs pages Web à la fois

1. Surfez sur le Web en visitant différents sites et pages.

2. Jetez un coup d'œil sur l'icône en bas à droite de l'écran.

Elle contient un chiffre de 1 à 8 ou aucun chiffre (Figure 9.4).

3. Touchez l'icône en bas à droite.

De grandes vignettes de chacune des pages ouvertes apparaissent (Figure 9.5).

4. Effleurez l'écran latéralement pour voir les différentes pages.

5. Lorsque la page que vous désirez afficher est visible, touchez-la (ou touchez le bouton Afficher, en bas à droite).

 À l'instar de ce qui se passe sur les écrans d'accueils, les points sous chaque vignette indiquent le nombre de pages ouvertes. Le point blanc indique la vignette de page actuellement visible.

 Lorsque le maximum de pages ouvertes n'est pas atteint (il est de 8), toucher le bouton Nouvelle page, en bas à gauche, affiche une page vide dans Safari. Saisissez l'adresse du site que vous désirez visiter.

 Pour supprimer une vignette de page (et donc la page Web), touchez la croix dans le coin en haut à gauche. Supprimez toutes les vignettes pour afficher une page vierge dans Safari.

Figure 9.4 : En bas à droite, l'icône indique que huit pages Web sont ouvertes dans Safari.

Figure 9.5 : La vignette de l'une des pages Web ouvertes.

Agrandir un article dans Safari

1. Accédez à un site Web contenant des articles (Figure 9.6).

2. Agrandissez un article par l'un de ces trois moyens :

   - **Basculez l'iPhone en largeur** : en mode Paysage, le contenu est légèrement plus grand qu'en hauteur (mode Portrait).

   - **Agrandissez par écartement des doigts** : cette technique classique permet d'agrandir fortement n'importe quelle partie de la page Web.

   - **Double-touchez un article** : l'article est recadré au plus serré dans l'écran (Figure 9.7).

3. Après avoir lu l'article, double-touchez-le de nouveau pour réafficher la page dans toute sa largeur.

 Pour revenir tout en haut d'une interminable page Web, touchez la partie supérieure de l'écran (la barre d'état sur laquelle est affichée le nom de l'opérateur, la date et l'heure ainsi que la jauge de la batterie).

Figure 9.6 : Une page du journal Le Monde affichée dans toute sa largeur.

Le Prix Femina a été décerné ce mardi à
Patrick Lapeyre pour son livre *La vie est
brève et le désir sans fin* (P.O.L.) Son
septième roman, décrit du point de vue
masculin les affres d'un amour obsédant,
avec une grâce subtile et un humour
distancié. Deux hommes sont amoureux de
la même femme, l'énigmatique Nora.

Figure 9.7 : Un double-toucher dans le texte l'agrandit et le cadre est au plus serré.

Gérer les liens

1. Touchez de façon continue un lien (Figure 9.8).

Safari affiche un panneau de commandes (Figure 9.9).

2. Lisez l'adresse du site vers lequel pointe le lien. Elle est affichée juste au-dessus du bouton Ouvrir.

3. Choisissez l'une des options suivantes :

- **Ouvrir** : la page Web vers laquelle pointe le lien remplace la page Web actuelle.

- **Nouvelle fenêtre** : la page Web vers laquelle pointe le lien s'ouvre dans une nouvelle fenêtre. Vous pouvez accéder à l'ancienne page à l'aide de la technique «Ouvrir plusieurs pages Web» expliquée précédemment.

- **Copier** : copie l'adresse figurant en haut du panneau. Vous pourrez la coller dans une note ou dans un courrier électronique.

- **Annuler** : ferme le panneau et réaffiche la page Web courante.

Toucher brièvement le lien pour accéder à la page Web vers lequel il pointe est plus rapide que toucher de façon continue puis toucher Ouvrir.

Pour envoyer l'adresse d'un site par courrier électronique, il existe une technique encore plus rapide que la copier dans un message : touchez le bouton [+] en bas de l'écran puis touchez Envoyer cette adresse URL.

Figure 9.8 : Touchez de façon continue un lien pour en savoir plus sur sa destination.

Figure 9.9 : Choisissez une option pour ce lien.

Créer un signet

1. Accédez à une page Web à laquelle vous désirez accéder rapidement par la suite.

2. Touchez le bouton [+], en bas de l'écran, au milieu.

3. Touchez le bouton Ajouter un signet (Figure 9.10).

4. Si nécessaire, modifiez le nom, dans le champ supérieur (Figure 9.11).

Un nom court est préférable pour un affichage dans l'iPhone.

5. La commande Signets, si elle existe, permet de choisir la destination du signet :

- **Signets** : la liste des signets, accessible en touchant la deuxième icône à partir de la droite, dans Safari.

- **Barre de signets** : cette barre n'est installée qu'après avoir synchronisé des signets avec iTunes.

6. Touchez le bouton Terminer, en bas à droite du clavier.

7. Touchez le bouton Enregistrer, en haut à droite de l'écran.

Figure 9.10 : Touchez le bouton Ajouter un signet.

Figure 9.11 : Modifiez éventuellement le nom, dans le champ supérieur.

Utiliser un signet

1. En bas de Safari, touchez la deuxième icône à partir de la droite (Figure 9.12).

C'est celle en forme de livre.

2. Touchez le signet pointant vers le site que vous désirez atteindre (Figure 9.13)

Safari charge la page et l'affiche.

 Pour modifier un signet, touchez le bouton Modifier, en bas à gauche de la liste des signets, puis touchez le signet à corriger. Dans le panneau qui apparaît, modifiez ce qui doit l'être.

Figure 9.12 : Touchez l'icône des signets.

Figure 9.13 : Touchez le signet de la page Web désirée.

Déplacer les signets

1. Dans Safari, touchez l'icône des signets, la deuxième à partir de la droite, en bas de l'écran.

2. En bas à gauche de l'écran, touchez le bouton Modifier.

3. Repositionnez les signets en touchant les barres à droite et en tirant le signet vers le haut ou vers le bas (Figure 9.14).

   Notez que les signets Apple, Google, Guide de l'utilisateur ainsi que le signet de l'opérateur (Bouygues, Orange ou SFR) et les dossiers Historique et Barre de signets ne peuvent pas être déplacés.

4. Touchez le bouton Terminé, en bas à droite.

Figure 9.14 : Déplacez un signet vers le haut ou vers le bas.

Créer un dossier de signets

1. Dans Safari, touchez l'icône des signets, la deuxième à partir de la droite, en bas de l'écran.

2. En bas à gauche de l'écran, touchez le bouton Modifier.

3. En bas à droite, touchez le bouton Nouveau dossier.

4. Dans le champ Titre, nommez le dossier (Figure 9.15).

5. Touchez Terminé pour revenir à la liste des signets.

   Le nouveau dossier est créé (Figure 9.16). Repositionnez-le si vous le désirez comme expliqué à la technique précédente.

6. Touchez Terminé pour quitter la liste des signets.

Dans la liste des signets, les dossiers se distinguent des signets par une petite icône, à gauche de leur nom. Une autre façon de les distinguer consiste à écrire les noms des dossiers en majuscules.

Il est possible de créer des sous-dossiers en touchant le chevron à droite du nom d'un dossier pour l'ouvrir, puis en touchant le bouton Nouveau dossier.

Figure 9.15 : Nommez le dossier de signets.

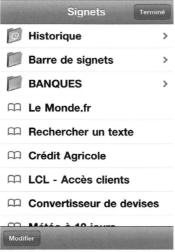

Figure 9.16 : Le dossier Banques vient d'être créé.

Placer des signets dans un dossier

1. Dans Safari, touchez l'icône des signets, la deuxième à partir de la droite, en bas de l'écran.

2. En bas à gauche de l'écran, touchez le bouton Modifier.

3. Touchez le signet à déplacer vers un dossier.

4. Dans le panneau Modifier le signet, touchez le champ Signet (Figure 9.17).

5. Dans la liste des dossiers, touchez le nom du dossier de stockage (Figure 9.18).

Le nom du dossier remplace le mot Signet, dans le panneau Modifier le signet.

6. Touchez Terminé pour revenir à la modification des signets, puis de nouveau sur Terminé pour mettre fin aux modifications, puis encore sur Terminé (en haut à droite) pour quitter la liste des signets.

Désormais, pour atteindre ce signet, vous devrez d'abord toucher le nom de son dossier.

Figure 9.17 : Touchez Signet pour choisir le dossier de stockage de ce signet.

Figure 9.18 : Toucher le dossier dans lequel vous désirez placer le signet.

Supprimer un signet

1. Dans Safari, touchez l'icône des signets, la deuxième à partir de la droite, en bas de l'écran.

2. En bas à gauche de l'écran, touchez le bouton Modifier.

3. Touchez le bouton [-] sur fond rouge, à gauche du signet à supprimer.

4. Touchez le bouton Supprimer (Figure 9.19).

5. Touchez Terminé pour mettre fin aux modifications, puis de nouveau sur Terminé (en haut à droite) pour quitter la liste des signets.

 La suppression d'un dossier s'effectue de la même manière.

Figure 9.19 : Touchez le bouton Supprimer pour ôter ce signet.

Voir l'historique des visites

1. Dans Safari, touchez l'icône des signets, la deuxième à partir de la droite, en bas de l'écran.

2. Tout en haut de la liste des signets, touchez Historique (Figure 9.20).

   La liste des sites visités dernièrement apparaît (Figure 9.21).

   Des entrées par dates permettent de retourner dans les sites visités ces jours-là.

 Le bouton Effacer, en bas à droite, supprime la totalité de l'historique. L'historique peut aussi être effacé en touchant, sur l'écran d'accueil, Réglages > Safari > Effacer l'historique.

Figure 9.20 : L'accès à l'historique.

Figure 9.21 : Retournez rapidement dans un site visité précédemment.

Créer un raccourci vers un site

1. Accédez à un site Web que vous désirez visiter fréquemment.

2. Touchez le bouton du milieu, en bas de l'écran.

3. Touchez le bouton Ajouter à l'écran d'accueil (Figure 9.22).

4. Saisissez un nom pour l'icône qui sera placée sur l'écran d'accueil (Figure 9.23).

5. Touchez le bouton Ajouter.

L'icône se trouve désormais sur l'écran d'accueil (Figure 9.23).

Il suffit à présent de toucher cette icône, qui s'appelle un «clip Web» dans le jargon de l'iPhone, pour accéder directement au site vers lequel elle pointe.

Limitez le nom à une douzaine de caractères au maximum afin qu'il ne soit pas tronqué.

Le nom ou le lien d'un clip Web ne sont pas modifiable. En cas d'erreur, supprimez le clip en le touchant de façon continue et en touchant ensuite le bouton [+] en haut à gauche du clip.

Contrairement aux signets, un clip Web ne peut pas être synchronisé.

Figure 9.22 : Choisissez de placer un clip Web sur l'écran d'accueil.

Figure 9.23 : Nommez le clip Web

Figure 9.24 : Le clip Web nommé Site perso se trouve sur l'écran d'accueil.

Enregistrer une image

1. Accédez à un site contenant des images (dessins, photos…)
2. Touchez de façon continue une image.
3. Dans le panneau qui apparaît, touchez le bouton Enregistrer l'image (Figure 9.25).

   L'image est enregistrée dans l'album Pellicule de l'application Photos.

 Dans le panneau à l'étape 3, le bouton Copier permet de coller l'image dans un courrier électronique, par exemple. Double-touchez la zone de message, puis touchez le bouton Coller.

Figure 9.25 : Après avoir touché l'image sur le site Web, enregistrez-la dans la pellicule photo de l'iPhone.

Trouver un texte dans une page Web

1. Visitez un site Web contenant du texte (Figure 9.26).

2. Si vous avez déjà fait défiler la page au cours de votre lecture, remontez-la jusqu'au début afin que le champ de saisie Google soit visible.

Un exemplaire du premier ordinateur d'Apple vendu 150 000 euros

LEMONDE.FR | 24.11.10 | 10h54 • Mis à jour le 24.11.10 | 17h03

230 recommandations. Inscription to see what your friends recommend

Un exemplaire rare du premier ordinateur d'Apple, le Apple I, a été vendu aux enchères à Londres, mardi soir, pour 133 250 livres (150 000 euros). La valeur de l'ordinateur, mis en vente par la maison Christie's, était estimée à

Figure 9.26 : Accédez à un texte, sur le Web.

3. Touchez le champ de recherche puis saisissez le mot – le critère – dont vous recherchez les occurrences sur la page Web (Figure 9.27).

Des suggestions de recherche sont affichées. Remarquez, entre ces suggestions et le clavier, la mention «Sur cette page (n résultats)».

4. Faites glisser la liste des suggestions complètement vers le haut.

Figure 9.27 : Veillez à ce que le champ de recherche Google, en haut à droite, soit visible.

Figure 9.28 : Saisissez le mot que vous voulez trouver dans la page Web. Safari commence par proposer des suggestions de recherche sur le Web.

5. Touchez le résultat Rechercher «*critère*» (Figure 9.29).

La page Web réapparaît. La première occurrence du mot recherché apparaît dans un cartouche jaune.

6. Touchez le bouton Suivant, en bas à gauche, pour passer à l'occurrence suivante d'un mot (Figure 9.30).

Le numéro d'ordre de l'occurrence (appelée Résultat dans Safari) est indiqué dans la barre inférieure.

7. Lorsque vous avez terminé de parcourir les occurrences, touchez le bouton Terminé, en bas à droite.

Safari ne différencie pas les majuscules et les minuscules.

Une recherche ne peut pas porter sur deux mots se formant pas un ensemble. Par exemple, Claude François sera accepté pour effectuer une recherche sur le chanteur, dans la page Web, mais la recherche sera infructueuse si la phrase contient la forme Claude et François se téléphonent. Il faudra rechercher, soit Claude, soit François.

Figure 9.29 : Ignorez les suggestions et touchez le critère de recherche, à la dernière ligne.

Figure 9.30 : Naviguez d'une occurrence à une autre en touchant le bouton Suivant, en bas à gauche.

Rechercher sur le Web (1)

1. Dans Safari, touchez le champ Google, en haut à droite de l'écran.

Des mots sont suggérés au fur et à mesure de la saisie (Figure 9.31)

2. Si une suggestion vous convient, touchez-la. Sinon, continuez la saisie puis touchez le bouton Rechercher, en bas à droite du clavier virtuel.

Les résultats de la recherche effectuée par Google sont affichés. Faites défiler la page pour les consulter (Figure 9.32).

3. Touchez un résultat pour accéder au site Web correspondant.

 À la fin des résultats de la recherche, un lien Préférences permet de configurer les préférences de la recherche, notamment le filtrage parental SafeSearch, l'enregistrement ou non des recherches récentes, l'enregistrement ou non des derniers lieux, ou l'autorisation ou non de localiser l'iPhone.

 Un signet Google se trouve parmi les signets de l'iPhone. Si vous l'utilisez, saisissez les critères de recherche dans le champ affiché au milieu de l'écran.

Figure 9.31 : Saisissez un critère de recherche.

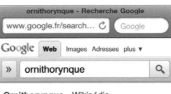

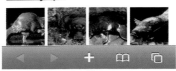

Figure 9.32 : Touchez le lien, dans un résultat, pour accéder au site Web.

Rechercher sur le Web (2)

1. L'écran d'accueil étant affiché, effleurez-le vers la droite.

Vous affichez ainsi l'écran de recherche dans l'iPhone.

2. Saisissez le critère de recherche.

La recherche est d'abord effectuée dans l'iPhone. Mais si elle n'est pas concluante, deux options sont proposées (Figure 9.33) :

- **Rechercher sur le Web** : l'iPhone démarre Safari et utilise le moteur de recherche par défaut (Google).

- **Rechercher dans Wikipedia** : l'iPhone démarre Safari et affiche l'article de l'encyclopédie Wikipedia correspondant à la recherche (Figure 9.34).

Utilisez l'option Rechercher dans Wikipedia pour obtenir un renseignement précis, la biographie d'une personnalité par exemple, ou un article technique.

Pour retrouver l'écran de recherche dans l'iPhone habituel, effacez le critère de recherche en touchant le bouton gris, à droite dans le champ de saisie.

Figure 9.33 : Quand l'information recherchée ne se trouve pas dans l'iPhone, une recherche sur le Web est proposée.

Figure 9.34 : L'article de l'encyclopédie Wikipedia correspondant à la recherche.

Choisir un autre moteur de recherche

1. Sur la page d'accueil, touchez Réglages > Safari > Moteur de recherche.

2. Touchez le nom du moteur de recherche que Safari utilisera désormais (Figure 9.35) :

- **Google** : c'est le moteur de recherche par défaut de l'iPhone.

- **Yahoo!** : utilise le moteur de recherche dont l'adresse « en clair » est http://fr.search.yahoo.com/.

- **Bing** : moteur de recherche développé par Microsoft.

3. Cliquez sur le bouton principal pour quitter les réglages de l'iPhone.

Désormais, Safari utilise le moteur de recherche sélectionné (Figure 9.36)

Figure 9.35 : Choisissez un moteur de recherche.

Figure 9.36 : Safari utilise le moteur de recherche sélectionné, Yahoo! en l'occurrence.

Accepter des cookies

1. Sur la page d'accueil, touchez Réglages > Safari > Accepter les cookies.

2. Touchez l'une des trois options (Figure 9.37) :

   - **Jamais** : Safari refuse tous les cookies. L'accès à certains sites peut être impossible.

   - **Des sites visités** : Safari accepte uniquement les cookies du site que vous visitez, mais refuse les cookies tiers. C'est l'option la plus sûre, active par défaut.

   - **Toujours** : tous les cookies sont acceptés, y compris les indésirables cookies tiers.

3. Appuyez sur le bouton principal pour quitter les réglages.

 Les cookies contiennent des informations concernant votre visite sur le site : Pages consultées, nombre de visites passées, options cochées, etc.

 Les cookies tiers sont des cookies placés lors de vos visites sur un site, mais qui communique les informations à un autre site. Cette pratique est très utilisées sur les sites marchands, qui signalent ainsi votre visite à d'autres sites partenaires qui vous solliciteront ensuite par des spams (courriers indésirables).

 Pour supprimer les cookies, touchez Réglages > Safari > Effacer les cookies

Figure 9.37 : Gérez ici l'acceptation des cookies.

Effacer la mémoire cache

1. Sur la page d'accueil, touchez Réglages > Safari.

2. Touchez l'option Vider le cache (Figure 9.38).

3. Confirmez en touchant le bouton Vider le cache (Figure 9.39). Safari se débarrasse de nombreux fichiers inutiles.

4. Appuyez sur le bouton principal pour quitter les réglages.

 Le cache contient une copie des pages Web que vous visitez. Lorsque vous revenez dans un site et que sa page se trouve déjà dans le cache, Safari l'affiche directement, ce qui est plus rapide que la télécharger de nouveau. Le cache se remplit peu à peu d'innombrables pages Web visitées qui occupent de la mémoire dans l'iPhone, jusqu'à plusieurs méga-octets quand le ménage n'est jamais fait. C'est pourquoi il est recommandé de le purger de temps en temps, une fois par mois par exemple.

 Si une page Web ne vous paraît pas à jour parce que Safari a préféré la charger depuis le cache plutôt que de télécharger la version la plus récente, touchez le bouton en forme de flèche circulaire, à droite dans la barre d'adresse. La page sera de nouveau chargée, mais depuis le Web cette fois.

Figure 9.38 : Purgez de temps en temps le cache.

Figure 9.39 : Confirmez la suppression des fichiers des pages Web visitées.

Quatrième partie

L'iPhone studieux

À propos
des applications

L 'iPhone doit une grande partie de son succès à ses applications – les «apps», en jargon «iPhonien» –, dont le nombre vient de dépasser les 300 000 sur l'App Store.

Le téléchargement des applications est très facile lorsque l'on a un compte sur iTunes. Il suffit en effet de toucher l'application App Store et de vagabonder dans la boutique virtuelle. Notez d'ores et déjà que cette boutique est remarquablement bien gérée : si vous perdez une application payante et que vous désirez la réinstaller, l'App Store ne vous fera pas payer une seconde fois. Sécurité supplémentaire : vous pouvez transférer tous vos achats dans l'ordinateur d'un simple clic, comme expliqué à la fin de ce chapitre.

Réorganiser les applications

1. Sur l'écran d'accueil (ou sur n'importe quel écran supplémentaire), touchez de façon continue l'icône d'une application jusqu'à ce que toutes se mettent à vibrer.

En jargon iPhone, cette fonction est appelée Wiggle («se trémousser», en anglais).

2. Touchez une application et, le doigt toujours en contact avec l'écran, tirez-la (Figure 10.1) et déposez-la entre deux icônes.

Les icônes s'écartent pour libérer la place.

Ne déposez pas l'icône sur une autre icône. Vous créeriez par inadvertance un dossier d'applications, comme expliqué à la fin de ce chapitre.

4. Redisposez d'autres icônes d'application à votre convenance, si vous le désirez

3. Enfoncez le bouton principal, sous l'écran, pour mettre fin à la fonction Wiggle.

Une application peut bien sûr être tirée vers un autre écran. Il suffit de la tirer hors de l'écran courant. S'il n'y a pas d'écran supplémentaire à droite, un nouvel écran est créé.

Figure 10.1 : Disposez les icônes à votre convenance.

Accéder aux quatre dernières applications utilisées

1. Double-cliquez avec le bouton principal.

L'écran ou l'application en cours glisse vers le haut, dévoilant les icônes des quatre dernières applications utilisées (Figure 10.2).

2. Touchez l'icône de l'application que vous désirez utiliser.

Ou touchez au-dessus de la barre d'icône pour la refermer.

 Les quatre icônes se trouvent sur un ruban qu'il est possible de faire glisser. À gauche se trouve l'icône iPod affichée en permanence à cet endroit, ainsi que des boutons de commande pour les morceaux joués et le bouton de verrouillage du pivotement de l'écran. À droite se trouvent les icônes d'autres applications.

Figure 10.2 : Les quatre dernières applications utilisées.

Limiter l'accès à des applications

1. Sur l'écran d'accueil, touchez Réglages > Général > Restrictions.

2. En haut de l'écran Restrictions, touchez Activer les restrictions.

3. Saisissez un mot de passe à quatre chiffres puis confirmez-le.

4. Dans la rubrique Autoriser, désactivez les applications qui ne doivent pas être utilisées (Figure 10.3).

L'icône des applications non autorisées disparaît de l'écran d'accueil.

5. Appuyez sur le bouton principal pour quitter les réglages.

Lisez également la prochaine technique, « Configurer le contrôle parental » pour connaître les autres restrictions.

N'oubliez pas le mot de passe à quatre chiffre car il vous sera demandé pour autoriser de nouveau les applications

Figure 10.3 : Les applications App Store et Appareil photo (ainsi que FaceTime, par la même occasion) sont à présent inutilisables.

Configurer le contrôle parental

1. Sur l'écran d'accueil, touchez Réglages > Général > Restrictions.

2. En haut de l'écran Restrictions, touchez Activer les restrictions.

3. Saisissez un mot de passe à quatre chiffres puis confirmez-le.

4. Limitez éventuellement l'accès aux applications comme expliqué à la technique précédente.

5. Faites glisser l'écran pour accéder à la rubrique Contenu autorisé (Figure 10.4) et configurez les paramètres suivants :

- **Achats intégrés** : désactiver cette option empêche tout achat dans l'App Store et dans iTunes.

- **Classification** : détermine les règles de classification (restrictions) selon le pays sélectionné.

- **Musique, podcasts** : autorise l'écoute des morceaux et podcasts estampillés Explicite dans iTunes, ou seulement les morceaux Tous publics.

- **Films** : permet d'autoriser ou d'interdire tous les films, ou d'interdire certains films selon la limitation d'âge (Figure 10.5).

- **Séries TV** : applique les mêmes règles que pour les films, mais aux séries télévisées.

- **Apps** : autorise ou empêche l'utilisation de certaines applications, notamment les jeux, qui ne sont pas recommandées en dessous de 4 ans, 9 ans, 12 ans et 17 ans, pour la classification France.

6. Appuyez sur le bouton principal pour quitter les réglages.

 Dans l'App Store, l'âge recommandé est mentionné à la fin du descriptif du jeu (Figure 10.5).

7. À la rubrique Game Center, autorisez ou interdisez les jeux multijoueurs sur le Web

Figure 10.4 : Définissez le contenu autorisé sur l'iPhone.

Figure 10.5 : Définissez les limites d'âge pour les films et pour les séries télévisées.

Figure 10.6 : Cette application n'est pas recommandée aux moins de 12 ans, comme mentionné à la rubrique Classement.

Arrêter complètement une application

1. Cliquez avec le bouton principal pour afficher l'écran d'accueil.

   L'iPhone 4 étant multitâche, l'application quittée en cliquant avec le bouton principal continue de fonctionner en tâche de fond.

2. Double-cliquez avec le bouton principal pour accéder aux dernières applications utilisées (Figure 10.7)

3. Touchez de façon continue l'une des quatre icônes d'application, en bas de l'écran, dans le dock.

   Un bouton de suppression apparaît dans le coin supérieur gauche de chaque icône (Figure 10.8).

4. Touchez le bouton de suppression de l'application à arrêter.

   L'icône disparaît (Figure 10.9). L'application est réellement arrêtée, libérant par la même occasion de la mémoire vive.

5. Touchez au-dessus des icônes pour refermer le dock.

 L'application arrêtée à l'étape 4 n'est pas effacée de l'iPhone. Elle est seulement arrêtée et déchargée de la mémoire vive.

Figure 10.7 : L'application YouTube doit être complètement arrêtée.

Figure 10.8 : Touchez le bouton de l'application à arrêter.

Figure 10.9 : L'application YouTube n'est plus visible.

Créer un dossier d'applications

1. Sur l'écran d'accueil, touchez de façon continue une icône jusqu'à ce que toutes se trémoussent.

Reportez-vous éventuellement à la technique « Réorganiser les applications », décrite précédemment.

2. Tirez une icône jusque sur une autre.

Une icône noire à cadre blanc apparaît sur les icônes (Figure 10.10)

3. Relâchez les icônes.

4. L'iPhone suggère un nom pour le dossier. Vous pouvez l'accepter ou en saisir un autre si vous le désirez. Dans ce cas, touchez le bouton d'effacement, à droite dans le champ de saisie, puis tapez le nouveau nom (Figure 10.11).

Figure 10.10 : L'icône YouTube est déposée sur l'icône iTunes (en haut). Un dossier est aussitôt créé pour recevoir les deux icônes (en bas).

Figure 10.11 : Nommez le dossier après avoir préalablement effacé le nom proposé par l'iPhone.

Limitez le nom d'un dossier à 12 caractères maximum afin qu'il ne soit pas tronqué.

5. Cliquez sur Terminé, en bas à droite du clavier.

6. Cliquez avec le bouton principal pour mettre fin au trémoussement des icônes.

7. Touchez la partie supérieure de l'écran pour réafficher l'écran d'accueil.

Le dossier est une icône à fond noir contenant de minuscules icônes des applications qu'il contient.

 Pour accéder aux applications d'un dossier, touchez le dossier puis touchez l'application désirée.

 Pour ajouter des applications dans un dossier, tirez-les dessus.

 Pour supprimer un dossier, touchez-le de façon continue puis videz-le de toutes ses icônes en les tirant hors du cadre.

 Jusqu'à 180 dossiers de 12 applications chacun peuvent être créés dans l'iPhone, soit 2 160 applications en tout.

Figure 10.12 : Sur l'écran d'accueil, le dossier Audiovisuel contient à présent les applications YouTube et iTunes.

Sauvegarder les applications achetées

1. Démarrez iTunes sur votre ordinateur.

2. Connectez l'iPhone à un port USB de l'ordinateur.

3. Dans le volet de gauche de iTunes, à la rubrique Appareils, cliquez du bouton droit sur le nom de l'iPhone.

4. Dans le menu, choisissez Transférer les achats (Figure 10.13).

L'iPhone et iTunes synchronisent les applications nouvellement achetées ainsi que celles qui ont été mises à jour (Figure 10.14).

En cas d'incident, vous les restaurerez en synchronisant les applications.

Vous effectuerez aussi cette opération lorsque vous connecterez votre iPhone à un autre ordinateur. Vous pourrez ainsi utiliser iTunes sur un ordinateur de bureau et sur un ordinateur portable, qu'ils soient Mac et/ou PC.

Dans le menu à l'étape 4, vous utiliserez l'option Sauvegarder pour enregistrer le contenu d'un ancien iPhone que vous comptez remplacer par un nouveau modèle. Ceci fait, connectez le nouvel iPhone à iTunes puis suivez les instructions.

Figure 10.13 : Transférez systématiquement vos applications.

Figure 10.14 : Les applications nouvelles ou récemment mises à jour sont transférées dans l'ordinateur.

Gérer le temps

*p*arce que l'iPhone est toujours à portée de main, disponible à tout moment, il est idéal pour gérer le temps. Il se trouve qu'il est doté, à cette fin, d'outils assez performants.

De plus, en raison de son internationalisme, l'iPhone s'accommode parfaitement des longs déplacements à l'autre bout du monde. Contrairement à nous autres humains, il est insensible au décalage horaire, mais sait se mettre à heure du lieu.

Il vous évitera aussi des «incidents diplomatiques» en rappelant les anniversaires et, comme qui peut le plus peut le moins, il décomptera aussi le temps pour faire des œufs à la coque ou vous rappeler qu'il faut nourrir le parcmètre.

Noter un rendez-vous

1. Touchez l'icône de l'application Calendrier.

Remarquez un détail utile : l'icône affiche le jour de la semaine (lundi, mardi…) et le jour du mois (19, 20…).

2. Cliquez sur le bouton [+], en haut à droite.

La page Événement apparaît (Figure 11.1).

3. Touchez Titre/Lieu.

La page Titre et lieu est affichée.

4. Touchez le champ Titre puis saisissez l'objet du rendez-vous (ou de tout autre événement), ou le nom de la personne que vous devez rencontrer.

5. Touchez le champ Lieu puis saisissez le lieu du rendez-vous (ou une remarque utile, ou n'importe quelle information), comme à la Figure 11.2.

Cette technique paraît longue et compliquée, mais vous verrez à l'usage qu'elle est intuitive et rapide.

Au moment défini à l'étape 12, un message apparaît sur l'écran (Figure 11.4), indiquant le titre, l'heure et le lieu de l'événement. Actionnez le curseur Afficher pour connaître les détails de l'événement, notamment le délai avant l'événement et la note éventuellement définie à l'étape 14 (un message avec un bouton Fermer et un bouton Afficher peut apparaître si l'iPhone est en cours d'utilisation).

Figure 11.1 : Saisissez ici les informations concernant le rendez-vous.

Figure 11.2 : Indiquez l'objet du rendez-vous ainsi que le lieu.

6. Touchez le bouton OK, en haut à droite de l'écran.

7. Dans la page Événement, touchez Commence/Se termine.

8. Définissez le jour et l'heure du début du rendez-vous avec les roues à cliquet (Figure 11.3)

9. Touchez Se termine.

10. Définissez le jour et l'heure de la fin du rendez-vous avec les roues à cliquet (par défaut, Calendrier présume que le rendez-vous dure une heure).

11. Touchez le bouton OK.

12. Dans la page Événement, touchez le champ Alarme.

13. Touchez le champ correspondant au moment où l'alarme doit apparaître sur l'écran de l'iPhone : 5, 15 ou 30 minutes avant, 1 heure ou 2 avant, 1 ou 2 jours avant, ou le jour de l'événement (l'alarme est alors affichée dès la mise en marche de l'iPhone).

14. Touchez OK.

L'iPhone propose de définir une seconde alarme (cette option est facultative).

15. (Facultatif) Touchez Notes. Saisissez ensuite une information importante ou une tâche à ne pas oublier.

16. Touchez le bouton OK.

Le rendez-vous est noté. Dans le calendrier, la période de temps du rendez-vous est couverte par un rectangle rouge. En mode Mois, un point indique qu'un événement a été mémorisé ce jour.

 Pour qu'une alarme sonore retentisse, touchez Réglages > Sons. Sélectionnez un son à l'option Nouveau message, et assurez-vous que plus bas, le commutateur Alertes de calendrier soit actif.

Figure 11.3 : Définissez le jour et l'heure du rendez-vous.

Figure 11.4 : Tirez la glissière Afficher pour connaître les détails du rendez-vous.

Noter l'anniversaire d'un contact

1. Touchez l'icône de l'application Contact.

2. Touchez le nom du contact pour lequel vous désirez inscrire la date d'anniversaire dans l'application Calendrier.

3. Touchez le bouton Modifier, en haut à droite de la fiche.

4. Tout en bas de la fiche, touchez Ajouter un champ.

5. En bas du formulaire, touchez Anniversaire.

6. Réglez le jour, le mois et l'année de l'anniversaire avec les roues à cliquet (Figure 11.5).

7. Touchez le bouton OK, en haut à droite de l'écran.

Un libellé Anniversaire est ajouté à la fiche du contact. Son anniversaire est inscrit dans le calendrier Anniversaires de l'iPhone (Figure 11.6). Il sera affiché chaque année.

L'application Calendrier comprend deux calendriers distincts : Calendrier, pour les événements courants (signalés par un point rouge), et Anniversaires (signalés par un point bleu). Pour n'afficher qu'un seul de ces calendriers ou les deux, touchez le bouton Calendriers, en haut à droite de l'application Calendrier.

Dans Calendrier, touchez l'anniversaire pour afficher l'intégralité du nom (Figure 11.7).

Quand vous consultez le calendrier – pour quelque raison que ce soit : connaître le planning du jour, l'anniversaire à souhaiter, une tâche à effectuer... – n'oubliez jamais de toucher le bouton Aujourd'hui, en bas à gauche, pour être sûr que c'est bien la date d'aujourd'hui qui est affichée (et non celle qui l'était la dernière fois que vous avez jeté un coup d'œil au calendrier).

Figure 11.5 : Définissez l'anniversaire
à ne pas oublier.

Figure 11.6 : Chaque année, au jour dit, Calendrier
rappelle l'anniversaire.

Figure 11.7 : Touchez l'anniversaire pour afficher les détails.

Noter un anniversaire

1. Touchez l'icône de l'application Calendrier.

2. Touchez le bouton [+], en haut à droite.

3. Touchez Titre/Lieu

4. Dans le champ Titre, saisissez le prénom et le nom de la personne, puis touchez le bouton OK, en haut à droite de l'écran.

5. Touchez Commence/Se termine.

6. Dans le panneau Début et fin, activez le commutateur Jour entier (Figure 11.8).

7. Réglez la date de l'anniversaire avec les roues à cliquet puis touchez OK.

8. Touchez Récurrence.

9. Dans le panneau Récurrence, touchez l'option Tous les ans (Figure 11.9) puis touchez OK.

10. Touchez OK pour terminer la saisie de l'anniversaire.

L'anniversaire est désormais un événement affiché tous les ans à la date définie.

Les anniversaires saisis comme événement de jour entier ne sont pas stockés dans le calendrier Anniversaires. Ce dernier est réservé aux anniversaires des contacts.

Les événements de jour entier ne sont pas réservés qu'aux anniversaires. Vous pouvez définir la périodicité d'un virement bancaire à effectuer ou la relève des poubelles. C'est moins romantique mais tout aussi efficace.

Figure 11.8 : Indiquez que l'anniversaire est un événement qui dure toute la journée.

Figure 11.9 : Définissez la périodicité annuelle.

Régler un événement récurrent à durée limitée

1. Touchez l'icône de l'application Calendrier.

2. Touchez le bouton [+], en haut à droite.

3. Touchez Titre/Lieu.

4. Indiquez la nature de l'événement et éventuellement le lieu (ou toute autre information).

5. Touchez Commence/Se termine et indiquez la date de début, ou activez le commutateur Jour entier.

6. Touchez le bouton OK, en haut de l'écran.

7. Touchez Récurrence, touchez la périodicité désirée, puis touchez le bouton OK.

8. Touchez Fin de la récurrence.

9. Réglez la date de fin de l'événement avec les roues à cliquet (Figure 11.10).

10. Touchez le bouton OK.

11. Touchez de nouveau le bouton OK pour revenir au calendrier.

Des points noirs, sous chaque jour du calendrier par mois, indiquent les jours contenant un événement, dont celui que vous venez de définir (Figure 11.11).

 Touchez le bouton Aujourd'hui, en bas à gauche d'un calendrier, pour revenir instantanément à la date du jour.

Figure 11.10 : Définition de la fin d'un événement se répétant quotidiennement du 10 au 21 novembre.

Figure 11.11 : Affichage de l'événement dans le calendrier. Le 8 novembre est la date actuelle, le 18 novembre est le jour sélectionné.

Supprimer un événement

1. Dans le calendrier, touchez la date de l'événement, puis touchez l'événement à supprimer.

L'affichage Mois est le plus commode pour ce genre d'opération.

2. Touchez l'événement.

3. Dans le panneau Événement, touchez le bouton Modifier, en haut à droite de l'écran.

4. Touchez le bouton rouge Supprimer l'événement, en bas du panneau (Figure 11.12).

L'événement est supprimé, sauf s'il s'agit d'un événement récurrent. Dans ce cas, continuez la procédure.

5. Si l'événement est récurrent, touchez l'une des options suivantes (Figure 11.13) :

- **Supprimer uniquement cet événement** : l'événement de la date sélectionnée est supprimé, mais pas les occurrences futures ni les occurrences passées.

- **Supprimer tous les événements futurs** : l'événement sélectionné ainsi que les événements antérieurs ne sont pas effacés.

Figure 11.12 : Si l'événement est unique, toucher le bouton rouge suffit pour le supprimer.

Figure 11.13 : Si l'événement est récurrent, vous devrez préciser quels événements doivent être supprimés.

Afficher l'heure dans d'autres pays

1. Sur l'écran d'accueil, touchez le dossier Utilitaire puis touchez l'application Horloge.

2. Dans le panneau Horloges, touchez le bouton [+], en haut à droite.

3. Dans le champ de saisie, commencez à tapez le nom de la ville pour laquelle vous désirez afficher l'heure.

   Un choix de villes est proposé (Figure 11.14).

4. Touchez le nom de la ville recherchée.

   L'horloge de la ville s'ajoute à la ou les horloges déjà définies (Figure 11.15).

 Le fond du cadran indique s'il fait jour dans la ville (fond blanc) ou s'il fait nuit (fond noir). À droite, la mention Aujourd'hui ou Demain indique l'heure par rapport au changement de date.

 Touchez le bouton Modifier pour réorganiser l'ordre des horloges (en les tirant par le bouton à trois barres à droite) ou en supprimer (en touchant le bouton rouge, à gauche du nom, puis le bouton Supprimer).

Figure 11.14 : Saisissez le nom d'une ville.

Figure 11.15 : La couleur du cadran et la mention à droite renseignent plus précisément sur l'heure.

Changer de fuseau horaire

1. Sur l'écran d'accueil, touchez Réglages > Mail, Contacts, Calendrier.

2. Tout en bas du panneau, touchez Heure locale > Fuseau horaire.

3. Dans le champ de saisie, commencez à saisir le nom de la ville où vous vous trouvez (Figure 11.16), puis touchez son nom dans les suggestions.

   Si votre ville de résidence n'est pas mentionnée, choisissez la grande ville la plus proche.

4. Dans le panneau Heure locale (Figure 11.17), désactivez le commutateur Heure locale afin que les événements du calendrier soient affichés en tenant compte du fuseau horaire sélectionné.

5. Appuyez sur le bouton principal pour quitter les réglages.

N'utilisez pas la fonction Fuseau horaire pour connaître l'heure actuelle ailleurs dans le monde, car vous ne la verrez pas. L'iPhone se base en effet sur le réseau de téléphonie mobile du lieu où vous êtes pour afficher l'heure. Ce n'est que sur place que l'heure sera mise à jour. Pour connaître l'heure ailleurs dans le monde, utilisez l'application Horloge, comme expliqué à la technique précédente.

Figure 11.16 : Choisissez une ville.

Figure 11.17 : Désactivez le commutateur Fuseau horaire afin que dans vos calendriers, les heures
tiennent compte de votre emplacement géographique.

Régler le réveil

1. Sur l'écran d'accueil, touchez le dossier Utilitaire puis touchez l'application Horloge.

2. En bas du panneau Horloges, touchez l'icône Alarme.

3. En haut à droite du panneau Alarme, touchez le bouton [+].

4. Régler l'heure du réveil avec les roues à cliquet (Figure 11.18).

5. Pour que le réveil sonne tous les jours de la semaine excepté le week-end, touchez Récurrence puis cochez tous les jours sauf le samedi et le dimanche (Figure 11.19).

   Si vous ne voulez utiliser le réveil qu'une seule fois, laissez Récurrence sur Jamais.

6. Touchez Sonnerie et choisissez le bruitage qui vous réveillera.

7. Désactivez le commutateur Rappel d'alarme ou conservez-le.

   Lorsque le rappel d'alarme est actif et que vous touchez le bouton Rappel lorsque le réveil sonnera, l'iPhone répétera l'alarme dix minutes plus tard.

8. (Facultatif) Touchez Description et remplacez le mot Alarme – affiché dans le message d'alerte pendant la sonnerie – par un autre de votre choix, puis touchez le bouton Enregistrer.

9. Touchez le bouton Enregistrer.

   Le réveil sonnera à l'heure prévue (Figure 11.20), avec la sonnerie choisie, une seule fois ou tous les jours que vous avez sélectionnés à l'étape 5. Touchez le bouton OK pour arrêter la sonnerie ou, si l'option Rappel d'alarme est active, touchez le bouton Rappel pour que l'iPhone sonne de nouveau dans dix minutes.

 Des applications téléchargeables gratuites, comme France Inter et d'autres, permettent de configurer un réveil en musique, avec la station radio de votre choix.

Figure 11.18 : Réglez l'heure du réveil.

Figure 11.19 : Sélectionnez les jours de la semaine au cours desquels le réveil doit sonner.

Figure 11.20 : C'est l'heure. Le mot « Alarme » a été remplacé par un autre message à l'étape 8.

Chronométrer une course

1. Sur l'écran d'accueil, touchez le dossier Utilitaire puis touchez l'application Horloge.

2. En bas du panneau Horloges, touchez l'icône Chronomètre.

3. Touchez le bouton Démarrer pour démarrer le chronométrage.

   L'affichage principal indique la durée totale du chronométrage. La durée en haut à droite, en chiffres plus petits, indique le chronométrage du tour.

4. À chaque tour de piste, touchez le bouton Tour.

   La durée du tour est mémorisée dans la partie inférieure de l'écran (Figure 11.21).

5. Touchez le bouton Arrêter pour suspendre le chronométrage.

   Les temps des tours sont conservés.

6. Touchez Démarrer pour reprendre le chronométrage.

   Effleurez les compteurs de tour pour faire défiler tous les résultats.

7. Pour réinitialiser le chronomètre, touchez le bouton Effacer.

Figure 11.21 : Le chronomètre de l'iPhone mémorise les temps intermédiaires.

Décompter une durée

1. Sur l'écran d'accueil, touchez le dossier Utilitaire puis touchez l'application Horloge.

2. En bas du panneau Horloges, touchez l'icône Minuteur.

3. Réglez la durée du décompte avec les roues à cliquet (Figure 11.22).

   Durée de parking, œuf coque… Les usages sont infinis.

4. Touchez Sonnerie puis choisissez le son indiquant que le temps est écoulé. Validez ensuite avec le bouton Choisir, en haut à droite

5. Touchez Démarrer pour décompter le temps.

   Lorsque la durée est écoulée, le minuteur le signale par un son et l'affichage d'un message (Figure 11.23).

6. Touchez le bouton OK pour faire disparaître le message.

 Vous pouvez utiliser d'autres applications ou recevoir des appels téléphoniques pendant que le minuteur décompte le temps.

Figure 11.22 : Le minuteur de l'iPhone est réglé pour cuire des œufs coque.

Figure 11.23 : Les œufs sont prêts !

La carte et le territoire

De nombreuses applications utilisent les fonctions cartographiques de l'iPhone. Contact s'en sert pour montrer où habite une personne, en touchant tout simplement son adresse postale dans le champ Domicile. Safari s'en sert aussi lorsqu'une page Web contient un plan. L'application Photos utilise la cartographie pour situer une image, comme vous le découvrirez au Chapitre 15, «Photographier, filmer».

Ce chapitre largement consacré à la cartographie s'adresse aux iPhone équipés d'un GPS, c'est-à-dire les iPhone 3GS et 4. Des applications téléchargeables exploitent le GPS : Mappy GPS, TomTom France et d'autres sont de véritable GPS qui n'ont rien à envier aux modèles autonomes. Enfin, l'application Boussole (dans le dossier Utilitaires) vous permettra de ne jamais perdre le nord.

Trouver sa position sur Plans

1. Sur l'écran d'accueil, touchez l'application Plans.

   L'iPhone affiche un plan sur lequel une boule bleue représente l'emplacement de l'iPhone. Deux effets peuvent se produire :

   - La boule est inerte, centrée dans un cercle couvrant une surface plus ou moins vaste (Figure 12.1) : La connexion GPS n'étant pas établie, l'iPhone a relevé la position approximative par triangulation avec les antennes de téléphonie mobile et de Wi-Fi environnante.

   - La boule pulse (Figure 12.2). L'iPhone 3GS ou 4 a déterminé sa position exacte grâce au GPS incorporé.

2. Tenez l'iPhone à plat, le haut dirigé dans la direction dans laquelle vous marchez, puis touchez le bouton en bas à gauche de l'écran. Il se transforme légèrement (Figure 12.3)

   La carte pivote afin de s'orienter dans le sens de votre marche. C'est une fonction utile pour se situer sans erreur à un carrefour : tournez sur vous-même jusqu'à ce que le plan indique que vous faite face à la bonne direction.

Figure 12.1 : L'emplacement de l'iPhone a été déterminé par triangulation.

Figure 12.2 : La boule pulsante indique que l'emplacement est déterminé par le GPS de l'iPhone 3GS ou 4.

Figure 12.3 : Le bouton à gauche signale que le plan se réoriente selon l'orientation de l'iPhone.

Évaluer la circulation en ville

1. Sur l'écran d'accueil, touchez l'application Plans.

2. Si la zone qui vous intéresse n'est pas le lieu où vous vous trouvez, réduisez l'échelle de la carte par des effleurements en pinçant puis agrandissez la partie de la carte à afficher par des effleurements en écartant les doigts.

3. Examinez les voies (Figure 12.4). Le code des couleurs pour les villes et sur routes est le suivant :

   • Vert : Fluide - 80 km/h et plus.

   • Jaune : Dense - Entre 40 et 80 km/h.

   • Rouge : Ralentissement - Moins de 40 km/h.

   • Gris : pas d'informations sur ce tronçon.

 Si le trafic n'est pas affiché, touchez l'icône en bas à droite de Plans puis touchez l'option Afficher la circulation. Notez que seules sont fournies, en France, les Infos trafic sur les autoroutes et dans des grandes villes comme Paris et Lyon. Les infos dans d'autres villes du monde (New York, Tokyo...) sont accessibles.

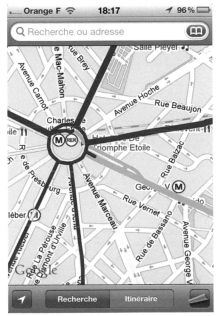

Figure 12.4 : La circulation est fluide sur les Champs-Elysées, mais ralentie autour de l'Étoile.

Voir une vue satellite

1. Sur l'écran d'accueil, touchez l'application Plans.

2. Cadrez éventuellement un lieu, sur le plan, en déplaçant la carte ou en changeant son échelle par écartement des doigts ou par pincement.

3. Touchez le bouton en bas à droite et, dans la barre de boutons inférieure, choisissez l'une de ces trois options :

   • **Plan** : affichage par défaut, sous la forme d'un plan ou d'une carte routière (Figure 12.5).

   • **Satellite** : affichage d'une photo prise par un satellite de cartographie (Figure 12.6). La définition maximale dépend du lieu géographique.

   • **Mixte** : affichage de la photo satellitaire et surimpression des voies et des noms de rues ou numéro de route (Figure 12.7).

   • **Liste** : contient la liste des repères mémorisés (voir technique « Créer un itinéraire vers un repère », plus loin dans ce chapitre.

4. Touchez de nouveau le bouton en bas à droite pour revenir au plan.

Les images des modes Satellite et Mixte ne sont pas en temps réel. Elles ont été prises plusieurs mois, voire plusieurs années auparavant.

Examinez le lieu de votre domicile en mode Satellite. Peut-être découvrirez-vous votre voiture garée dans la rue ou dans le jardin. Pour mémoriser ce souvenir, maintenez le bouton Marche/Veille enfoncé et enfoncez simultanément le bouton principal : la capture d'écran ainsi effectuée est stockée dans l'application Photos. Vous l'enverrez ensuite par courrier électronique comme expliqué au Chapitre 14, « Photographier, filmer ».

Figure 12.5 : Le plan d'une ville – Le Lavandou, dans le Var – en mode Plan.

Figure 12.6 : Le même endroit qu'à la Figure 12.5 mais en mode Satellite.

Figure 12.7 : Le même endroit qu'à la Figure 12.5 mais en mode Mixte.

Visiter un lieu rue par rue

1. Sur l'écran d'accueil, touchez l'application Plans.

2. Afficher la région à visiter virtuellement en déplaçant la carte ou en changeant son échelle par écartement des doigts ou par pincement.

3. Touchez le bouton en bas à droite et, parmi les options, touchez Placer un repère (ou mieux : touchez de façon continue le plan jusqu'à ce qu'un repère soit spontanément placé sous votre doigt).

   Un repère est placé au milieu de l'écran (Figure 12.8). Repositionnez-le au besoin.

4. Touchez l'icône rouge à gauche de l'étiquette du repère.

   La fonction Street View de Google Map affiche une vue du lieu marqué par le repère (Figure 12.9). Les actions suivantes sont possibles :

   - **Panoramique** : touchez l'écran et tirez vers la gauche ou vers la droite pour découvrir les environs à 360°. Tirez vers le haut ou vers le bas pour regarder en l'air ou au sol.

   - **Se déplacer** : double-touchez la ligne grise translucide indiquant le trajet empruntable. Vous pouvez ainsi visiter des villes entières.

   - **Agrandir l'image** : écartez les doigts pour agrandir légèrement la vue.

5. Double-touchez le mini-plan en bas à gauche – il montre où vous êtes et dans quelle direction vous regardez – pour revenir au plan.

Si l'icône rouge n'est pas visible dans une étiquette, cela signifie que cette rue n'a pas été photographiée par Google Maps.

Évitez d'utiliser Google Maps lorsque l'iPhone est connecté au réseau EDGE ou si la connexion 3G n'est pas bonne, car le chargement des images risque d'être très lent.

Figure 12.8 : Si l'étiquette d'un repère contient une icône jaune, touchez-la pour effectuer une visite virtuelle de la ville.

Figure 12.9 : La fonction Street View permet de visiter virtuellement un lieu avant de s'y rendre.

Retrouver sa voiture

1. Après avoir garé la voiture et avant de vous éloigner, touchez l'application Plans.

2. Touchez le bouton en bas à gauche pour vous assurer que le plan indique votre emplacement actuel.

3. Touchez le bouton en bas à droite et, parmi les options, touchez Placer un repère (Figure 12.10).

   Une épingle est placée au milieu de l'écran, avec l'adresse du lieu (Figure 12.11). Repositionnez-la si son emplacement n'est pas assez précis.

Figure 12.10 : Placez un repère sur le plan.

Figure 12.11 : Vérifiez l'emplacement du repère

Mettez l'iPhone en veille et promenez-vous dans la ville. L'iPhone 4 étant multitâche, vous pouvez l'utiliser comme d'habitude.

Le moment est venu de rejoindre la voiture, mettez l'iPhone en marche puis :

1. Touchez l'application Plans si elle n'est pas déjà visible.

2. Touchez le bouton bleu à droite du repère indiquant où est la voiture.

3. Dans le panneau Infos qui apparaît, touchez Itinéraire vers ce lieu (Figure 12.12).

   L'application Plans calcule l'itinéraire et l'affiche.

4. Sur le plan, touchez le bouton Piétons (son icône montre un personnage).

   Plans recalcule l'itinéraire à pied vers le repère (12.13). Le trajet en voiture, qui doit tenir compte des sens uniques, peut être beaucoup plus long. Plans affiche également la distance et la durée estimée.

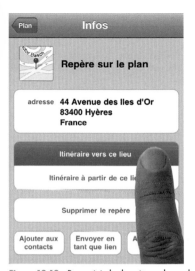

Figure 12.12 : Pour rejoindre la voiture, demandez l'itinéraire vers le lieu repéré au départ.

Figure 12.13 : N'oubliez pas de demander l'itinéraire pour les piétons.

5. Si le tracé sur le plan ne vous paraît pas suffisant, touchez le bouton Démarrer, en haut à droite.

Plans affiche des instructions étape par étape. Touchez la flèche en haut à droite pour afficher l'étape suivante (Figure 12.14).

Ne vous fiez pas aveuglément à votre iPhone car, une fausse manœuvre dans Plans, et le repère indiquant où se trouve la voiture est effacé.

N'effacez ni ne modifiez jamais les champs Départ et Arrivée de l'itinéraire, car le repère disparaîtrait.

Il existe plusieurs couleurs de repères :

- **Vert** : point de départ de l'itinéraire.
- **Rouge** : point d'arrivée ou repère figurant dans les signets.
- **Bleu** : repère placé manuellement, pas encore ajouté aux signets.

Plusieurs repères peuvent être placés dans un plan (Figure 12.15). Pour cela, vous devez mémoriser chaque repère en touchant le bouton bleu de son étiquette, puis le bouton Ajouter aux signets.

Pour effacer un repère, touchez le bouton bleu de son étiquette puis, dans le panneau Infos, touchez Supprimer le repère. Effacer l'itinéraire supprime également les repères.

Depuis la version 4.2 de iOS, il est aussi possible de retrouver son iPhone 4 s'il a été égaré ou volé. La recherche s'effectue à partir de votre ordinateur ou d'un autre iPhone, d'un iPod Touch ou d'un iPad. Reportez-vous à la page Localiser mon iPhone, à l'adresse `www.apple.com/fr/iphone/find-my-iphone-setup/` pour savoir comment configurer cette option.

Figure 12.14 : Au besoin, demandez à Plans de vous diriger étape par étape.

Figure 12.15 : Plusieurs repères peuvent être placés dans un plan à condition de les avoir ajoutés comme signets.

Trouver un hôtel

1. Sur l'écran d'accueil, touchez l'application Plans.

2. Affichez la région qui vous intéresse en déplaçant la carte ou en changeant son échelle par écartement des doigts ou par pincement (ou, si vous cherchez un hôtel à proximité, touchez le bouton en bas à gauche).

3. Touchez le champ Recherche ou adresse, en haut de l'écran, puis tapez Hôtel.

Si ce champ n'est pas visible, touchez le bouton Recherche en bas de l'écran.

4. Touchez le bouton Rechercher, en bas à droite du clavier virtuel.

Une sélection d'hôtels est signalée par des repères, sur le plan.

5. Touchez un repère pour afficher le nom de l'hôtel (Figure 12.16).

6. Touchez le bouton bleu à droite de l'étiquette pour obtenir des détails (Figure 12.17).

Figure 12.16 : Touchez un repère pour identifier l'hôtel.

Figure 12.17 : Consultez les informations pour contacter l'établissement.

7. Pour obtenir des informations complémentaires :

- Touchez le bouton Site Web, dans le panneau Infos, pour afficher le site de l'établissement dans Safari.

- Si la rue a été photographiée par Google, touchez le bouton Street View, dans le plan, pour voir l'environnement de l'hôtel (Figure 12.18).

- Si les informations récoltées vous séduisent, touchez le bouton Téléphone, dans le panneau Infos. L'iPhone compose automatiquement le numéro.

Touchez le bouton Itinéraire vers ce lieu, en bas du panneau Infos, puis touchez le bouton Itinéraire, dans le panneau qui apparaît ensuite, pour obtenir l'itinéraire de l'endroit où vous êtes - veillez à ce que le champ Départ contienne Lieu actuel, dans le panneau Itinéraire - jusqu'à l'établissement sélectionné (Figure 12.19).

La recherche peut s'effectuer sur toutes sortes de commerces, comme les restaurants, les parkings, les garages, les fleuristes,... Mais aussi les professions libérales comme les médecins, dentistes, avocats...

Quand vous effectuez une nouvelle recherche avec un critère déjà utilisé (comme Hôtel), Plans présente un historique des établissements que vous avez déjà consultés. Touchez l'une des adresses pour l'afficher sur le plan.

Figure 12.18 : Examinez l'aspect de l'hôtel et, comme ici, son environnement.

Figure 12.19 : Demandez à Plans de vous indiquer l'itinéraire précis.

Cinquième partie

L'iPhone ludique

"Ce modèle est livré avec une fonction particulièrement utile : un bouton simulant de la friture sur la ligne pour écourter une conversation qui s'éternise."

Photographier, filmer

Pour d'obscures raisons, les générations précédentes de l'iPhone étaient équipées d'un appareil photo indigne de son niveau technique global. L'iPhone 4 est à présent doté d'un capteur de 5 mégapixels capable de prendre des photos et de la vidéo de qualité plus que correcte.

L'iPhone fait la différence entre les photos et vidéos qu'il prend, et celles – prises avec un appareil photo ou un caméscope – qui sont importées par synchronisation. Il n'effacera les premières que si vous le décidez, mais il prendra l'initiative d'effacer les photos importées (en vous informant toutefois auparavant).

Nous aborderons dans ce chapitre les deux applications audio-visuelles que sont Photos, où se trouvent vos prises de vues et séquences filmées, et Appareil photo, qui sert à les réaliser.

Prendre une photo

1. Sur l'écran d'accueil, touchez l'application Appareil photo.

2. Cadrez la photo.

3. Touchez la partie du sujet qui doit être nette (Figure 13.1).

   Lors du traitement de l'image par le processeur graphique, la netteté de cette zone sera renforcée.

4. Actionnez le zoom avec la glissière.

5. Pour déclencher, touchez le bouton orné d'un appareil photo.

   La photo est prise et stockée dans l'album Pellicule de l'application Photos.

L'iPhone 4 est équipé d'un flash. Le bouton en haut à gauche de l'écran (le « viseur ») permet de mettre en mode automatique, de le désactiver ou de l'utiliser pour chaque photo. Cette dernière option est commode pour déboucher les ombres d'un portrait pris au soleil.

Pour prendre la photo au bon moment, laissez le doigt sur le déclencheur puis relâchez-le à l'instant décisif.

En haut à droite, un commutateur sert à choisir le mode Photo ou le mode Vidéo.

Figure 13.1 : Réglez le zoom, touchez la partie à rendre nette puis déclenchez.

Utiliser la fonction HDR

1. Juste avant une prise de vue, touchez le bouton Activer le mode HDR.

   Le mode HDR (*High Dynamic Range*, « plage dynamique étendue ») sert à prendre des photos comprenant des zones très claires et des zones très foncées.

2. Déclenchez.

3. L'iPhone prend trois photos à très bref intervalle et les fusionne.

   Une photo est exposée normalement, une autre légèrement sous-exposée et la dernière légèrement sous-exposée (Figure 13.2).

 Pour enregistrer simultanément une photo exposée normalement et la même photo en mode HDR, touchez Réglages > Photos puis, en bas du panneau, activez le commutateur Conserver l'original.

 Évitez d'appliquer la fonction HDR à un sujet en mouvement rapide quand la lumière est faible car un désagréable effet stroboscopique serait visible (ou alors, enregistrez à la fois une photo normale et une photo HDR).

 La fonction HDR reste active aussi longtemps que vous ne la désactivez pas.

Figure 13.2 : En haut, la photo est exposée normalement. Remarquez la robe du bœuf sans détail. En bas, la même photo prise en mode HDR. Les parties claires ont été sous-exposées pour que les détails ne soient pas grillés, et les parties sombres surexposées pour les éclaircir.

Savoir où une photo a été prise

1. Après avoir pris des photos avec l'iPhone, touchez l'application Photos, sur l'écran principal.

2. En bas à droite, touchez le bouton Lieux.

   L'iPhone affiche une carte dans laquelle des repères rouges pointent chaque lieu géographique correspondant aux photos présente dans l'application Photos (Figure 13.3).

3. Touchez un repère pour connaître le nombre de photos prises à cet endroit (Figure 13.4).

4. Touchez le bouton bleu à droite de l'étiquette pour voir les vignettes de ces photos (Figure 13.5).

   Touchez une vignette pour afficher la photo en plein écran.

 Les logiciels capable de géolocaliser les photos, comme iPhoto, livré avec tous les Mac, de même que d'autres logiciels pour PC et Mac, peuvent afficher le lieu où les photos ont été prises.

Figure 13.3 : L'iPhone sait où des photos ont été prises.

Figure 13.4 : Touchez le bouton d'une étiquette pour savoir combien de photos ont été prises à cet endroit.

Figure 13.5 : Seules les photos prises à l'endroit signalé par le repère sont affichées.

Démarrer un diaporama

1. Allez dans l'application Photos.

Vous pouvez y accéder de deux manières :

- En touchant l'application Photos, sur l'écran d'accueil.
- En touchant la petite vignette en bas à gauche, lorsque vous utilisez l'application Appareil photo.

2. Touchez la première photo à visionner.

3. Touchez le bouton de lecteur, en bas au milieu de l'écran (Figure 13.6).

Le diaporama démarre. Chaque photo est affichée à intervalle régulier.

Si les commandes ne sont visibles, touchez la photo pour les faire réapparaître.

Pour sonoriser un diaporama, allez dans l'application iPod, démarrez la lecture d'un morceau, puis allez dans l'application Photos et démarrez un diaporama.

Figure 13.6 : Pour démarrer un diaporama, touchez le bouton de lecture.

Configurer le diaporama

1. Sur l'écran d'accueil, touchez Réglages > Photos.

2. Dans le panneau Photos (Figure 13.7), configurez les paramètres suivants :

   - **Afficher chaque photo** : choisissez un intervalle de 2 secondes, 3 secondes (par défaut), 5, 10 ou 20 secondes.

   - **Transition** : choisissez l'effet voulu parmi Cube, Dissolution, Vague, Balayage horizontal ou Balayage vertical.

   - **Boucle** : arrivé à son terme, le diaporama recommence.

   - **Aléatoire** : l'affichage des photos est effectué au hasard.

3. Appuyez sur le bouton principal pour quitter les réglages.

Figure 13.7 : Configurez ici le déroulement de vos diaporamas.

Envoyer une photo par Mail

1. Touchez une image, dans l'application Photos.

2. Touchez l'icône en bas à gauche de la photo (Figure 13.8).

Si les icônes ne sont pas visibles, touchez la photo pour faire réapparaître les commandes.

3. Dans le panneau qui apparaît, touchez le bouton Envoyer par courrier (Figure 13.9).

Figure 13.8 : Touchez le bouton d'envoi, en bas à gauche.

Figure 13.9 : Touchez l'option Envoyer par courrier.

L'application Mail ouvre un nouveau message. La photo est placée dans le corps du texte (Figure 13.10)

4. Touchez le champ «À» et saisissez le nom ou l'adresse Internet d'un destinataire.

Si la saisie correspond à un ou plusieurs contacts, touchez le nom de celui auquel vous désirez envoyer la photo.

5. Touchez le champ Objet et donnez un titre à l'envoi, puis touchez la zone de message et écrivez un petit mot d'accompagnement.

6. Touchez le bouton Envoyer, en haut à droite de l'écran.

La photo est envoyée.

Si le fichier de la photo est trop volumineux, l'application Mail affiche un panneau (Figure 13.11) proposant de réduire les dimensions de la photo. Vous avez le choix entre :

• **Petite** : 320 × 239 pixels. Pour l'affichage dans un navigateur Web avec un écran informatique de 14 ou 15 pouces.

• **Moyenne** : 640 × 478 pixels. Pour l'affichage sur un écran informatique de plus de 15 pouces.

• **Grande** : 1296 × 968 pixels. Pour l'affichage sur un écran à haute définition (1920 × 1200 pixels et plus)

• **Taille réelle** : 2592 × 1936 pixels. Pour la retouche avec un logiciel photo et les tirages papier.

À la Figure 13.9, remarquez l'option d'envoi par MMS. Elle permet d'envoyer une photo vers un téléphone mobile.

Figure 13.10 : Indiquez-le ou les destinataires, remplissez le champ Objet puis rédigez le message avant d'envoyer la photo.

Figure 13.11 : Si la photo est volumineuse, choisissez la taille de l'image à envoyer.

Envoyer plusieurs photo par Mail

1. Sur l'écran principal, touchez l'application Photos.

2. Accédez à l'album contenant des photos à envoyer. Elles peuvent se trouver dans :

- **Pellicule** : album contenant les photos prises avec l'application Appareil photo de l'iPhone.

- **Photothèque** : album contenant des photos importées par synchronisation.

- **[Nom d'un album]** : dans un dossier créé dans l'ordinateur (voir la prochaine technique « Créer un album de photos ») et importé lors d'une synchronisation.

3. En haut à droite de l'écran, touchez le bouton à flèche incurvée.

4. Touchez chacune des photos à envoyer avec Mail (Figure 13.12).

Les photos touchées sont cochées. De 1 à 5 photos seulement peuvent être envoyées ou copiées. Dès la sixième photo sélectionnée, le bouton Envoyer devient inactif (en revanche, la sélection est illimitée pour supprimer des photos).

5. Touchez le bouton Envoyer, en bas à gauche.

Reportez-vous aux étapes 4 et suivantes de la technique précédente, « Envoyer une photo par mail », pour savoir comment procéder dans Mail pour envoyer vos photos.

 Voici comment envoyer plus de 5 photos dans un même courrier : sélectionnez 5 photos mais, au lieu de toucher le bouton Envoyer, touchez Copier. Ensuite, ouvrez un nouveau message dans Mail, touchez de façon continue la zone de texte et, quand le bouton Copier apparaît, touchez-le. Retournez ensuite dans l'application Photos, sélectionnez et copier des photos, puis collez-les dans le nouveau message, à la suite des photos qui s'y trouvent déjà (Figure 13.13). Attention toutefois à la taille totale du message, car la plupart des opérateurs n'acceptent pas de pièce jointe supérieure à 10 méga-octets.

Figure 13.12 : Touchez la vignette de chacune des photos à envoyer (jusqu'à 5 au maximum).

Figure 13.13 : Pour contourner la limitation de 5 photos par envoi, copier puis collez plusieurs sélections dans un courrier électronique.

Classer une photo reçue par Mail

1. Ouvrez le courrier contenant une ou plusieurs photos.
2. Touchez l'icône en forme de flèche incurvée (Figure 13.14). C'est la deuxième à partir de la droite.
3. Touchez le bouton Enregistrer *n* images (Figure 13.15).
4. Vous vérifiez l'enregistrement, enfoncez le bouton principal puis, dans l'écran d'accueil, touchez l'application Photos.
5. Allez dans l'album Pellicule puis visionnez les photos reçues (Figure 13.16).

 Si lors d'une synchronisation, iTunes vous informe que les photos présentes dans l'iPhone seront effacées, les photos reçues par Mail seront supprimées. Seules subsisteront celles prises avec l'appareil photo de l'iPhone.

Figure 13.14 : Touchez le deuxième bouton en bas, à partir de la à droite.

Figure 13.15 : Choisissez d'enregistrer les images dans l'album Pellicule de l'application Photos.

Figure 13.16 : Visionnez les photos enregistrées.

Prendre un autoportrait

1. Sur l'écran d'accueil, touchez l'icône Appareil photo.

2. En haut à droite de l'écran, touchez le bouton orné d'un appareil photo et de deux flèches (Figure 13.17).

L'objectif au dos de l'iPhone 4 est désactivé et remplacé par l'objectif situé sur la façade.

3. Cadrez votre visage. Touchez la partie à rendre nette (généralement, comme dans tout portrait, les yeux).

Le zoom numérique n'est pas utilisable.

4. Touchez le bouton de déclenchement.

5. Touchez la minuscule miniature en bas de l'écran pour visionner le résultat dans l'application Photos (Figure 13.18)

6. dans l'application Photos, touchez le bouton OK, en haut à droite, pour revenir dans l'application Appareil photo et continuer à prendre des autoportraits.

On ne s'en lasse pas.

 La photo finale est inversée. Pendant que vous cadrez, vous vous voyez en effet comme dans un miroir. Mais dans l'application Photos, vous vous voyez dans le bon sens.

Figure 13.17 : Cadrez votre visage avec l'iPhone 4.

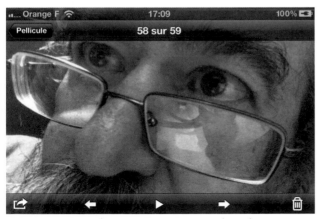

Figure 13.18 : Visionnez les autoportraits que vous venez de prendre.

Supprimer des photos ou des vidéos

1. Sur l'écran principal, touchez l'icône de l'application Photos.

2. Touchez l'album Pellicule.

3. Touchez le bouton en haut à droite de l'écran.

4. Touchez la vignette de chacune des photos ou des vidéos à supprimer.

   Le nombre de photos et/ou de vidéos qui seront supprimées est affiché sur le bouton Supprimer, en bas à droite (Figure 13.19). Touchez de nouveau une vignette désélectionnée pour décocher une photo ou une vidéo que vous décidez finalement de conserver.

5. Touchez le bouton Supprimer, en bas à droite.

6. Touchez le bouton Supprimer la sélection (Figure 13.20).

   Les éléments sélectionnés sont définitivement effacées.

La suppression des photos dans les albums est impossible depuis l'iPhone. Vous devez procéder à une synchronisation, en décochant dans iTunes les éléments à effacer, comme expliqué au Chapitre 3.

Pour supprimer toutes les photos de l'iPhone sauf celles prises avec l'iPhone lui-même, mettez fin à leur synchronisation. Dans le panneau qui apparaît sur l'écran de l'ordinateur, cliquez sur le bouton Supprimer les photos. Tous les albums, toutes les photos et toutes les vidéos, sauf les photos et vidéos prises avec l'application Appareil photo, sont supprimées de l'iPhone (Figure 13.21).

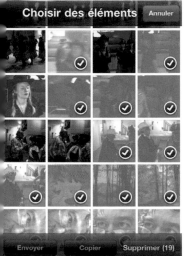

Figure 13.19 : Touchez chacune des photos à supprimer, dans l'album Pellicule.

Figure 13.20 : Confirmez la suppression des photos de l'album Pellicule.

Figure 13.21 : Quand vous mettez fin à une synchronisation, l'iPhone propose de supprimer tous les fichiers importés.

Couper le début et la fin d'une vidéo

1. Sur l'écran d'accueil, touchez l'icône Photos puis :

2. Dans la Pellicule, touchez une vidéo pour accéder aux commandes de montage.

3. Actionnez la tête de lecture, en la tirant du bout du doigt, pour parcourir la séquence et estimer l'endroit où couper (Figure 13.22).

4. Tirez l'une des extrémités du ruban contenant les images, en haut de l'écran, ou les deux, afin de délimiter la partie de la vidéo à conserver (Figure 13.23). Maintenez vos doigts sur la section afin d'étendre le visualiseur et faciliter ainsi les coupes.

Touchez le bouton Lecture pour visionner un aperçu des modifications.

5. Touchez le bouton Raccourcir pour éliminer tout ce qui se trouve en dehors de la partie délimitée.

Assurez-vous que la ou les coupes sont bien celles que vous désirez, car toucher le bouton Raccourcir est irréversible (pour plus de sûreté, exportez d'abord la vidéo en la synchronisant avec l'ordinateur).

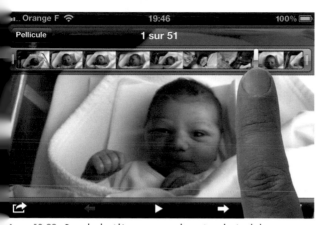

igure 13.22 : Regardez la vidéo ou parcourez-la en tirant la tête de lecture.

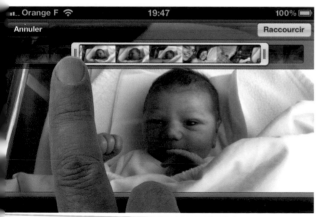

Figure 13.23 : Délimitez la partie à conserver puis touchez le bouton Raccourcir.

L'iPhone multimédia

Nous avons vu au chapitre précédent comment créer (des photos, de la vidéo…). Nous verrons dans ce chapitre comment consommer de l'audiovisuel : morceaux de musique, mais aussi, grâce à des applications gratuites, comment lire, écouter la radio ou regarder la télévision.

Avant d'entrer dans le vif du sujet, sachez que tout iPhone est également un iPod Touch, dont il possède toutes les fonctionnalités. Ce sont donc véritablement deux appareils en un que vous possédez.

Il serait tentant d'affirmer que l'iPhone est également un iPad. De cette tablette, il possède en effet toutes les fonctionnalités, grâce à l'application iBooks décrite plus loin. Elle permet de lire des livres téléchargés depuis l'App Store, mais aussi des fichiers PDF. D'où ce conseil à ceux qui emportent du matériel en voyage (équipement photo, lecteur de DVD, récepteur de GPS…) : pourquoi ne pas importer tous les manuels au format PDF dans votre iPhone ? Vous aurez cette bibliothèque technique en permanence sur vous lorsque vous aurez besoin d'un renseignement.

Écouter de la musique

1. Sur l'écran d'accueil, touchez l'icône iPod.

2. Choisissez votre façon préférée de sélectionner un morceau :

- L'iPhone tenu à la verticale afin de choisir le morceau dans une liste d'artistes (Figure 14.1) et de morceaux.

- L'iPhone tenu à l'horizontale pour afficher les morceaux en mode Cover Flow (Figure 14.2), et feuilleter les pochettes d'album.

3. Touchez un morceau pour l'écouter.

Vous avez l'embarras du choix ? Laissez l'iPhone choisir aléatoirement un morceau à votre place. Pour cela, rien de plus simple : secouez-le. Ou alors, si vous ne voulez pas malmener votre iPhone, touchez le bouton Morceaux, en pas de l'application iPhone, allez en tête de liste des morceaux et touchez l'option Aléatoire. Tous les morceaux que vous écouterez ensuite seront choisis au hasard.

Pour écouter un morceau en boucle, touchez l'icône en bas à gauche de la barre de temps, pendant l'écoute du morceau. Elle devient bleue. Touchez-la de nouveau : le chiffre 1 apparaît dedans (Figure 14.3), indiquant que le morceau écouté est en boucle.

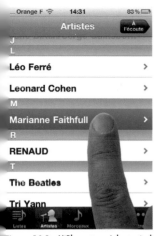

Figure 14.1 : L'iPhone tenu à la verticale, l'application iPod affiche une liste.

Figure 14.2 : L'iPhone tenu à l'horizontale, l'application iPod affiche en mode Cover Flow.

Figure 14.3 : De gauche à droite, l'écoute normale, la répétition de tout l'album ou de toute la liste de lecture, mise en boucle du morceau courant.

Modifier le dock de l'iPod

1. Sur l'écran d'accueil, touchez l'icône iPod.

2. En bas à droite de l'application iPod, touchez le bouton Autre.

   Vous accédez à un sélecteur de morceaux par albums, compilations, compositeurs, genres, etc.

3. Touchez le bouton Modifier, en haut à gauche.

   Vous accédez ainsi au panneau Configurer montrant l'ensemble des boutons susceptibles d'être placés dans le dock (Figure 14.4).

4. Faites glisser une icône du panneau jusque sur une icône du dock à remplacer (Figure 14.5).

   La substitution est aussitôt effectuée.

5. Si vous le désirez, redisposez les icônes dans le dock en les faisant glisser les unes par rapport aux autres.

6. Touchez le bouton OK, en haut à droite.

 Dans le dock, l'icône Autre ne peut être ni remplacée ni déplacée.

Figure 14.4 : La configuration du dock par défaut.

Figure 14.5 : L'icône Albums est sur le point de remplacer l'icône Vidéos.

Créer une liste de lecture

1. Sur l'écran d'accueil, touchez l'icône iPod.
2. En bas à gauche du dock, touchez le bouton Listes.
3. Touchez l'option Nouvelle liste.
4. Dans le panneau Nouvelle liste de lecture, saisissez un titre. Touchez ensuite le bouton Enregistrer (Figure 14.6).

   Soyez bref car l'écran de l'iPhone n'est pas très large.
5. Dans le panneau Morceaux qui apparaît, touchez les morceaux à ajouter.

   Le nom des morceaux à inclure dans la liste devient gris (Figure 14.7).
6. La sélection terminée, touchez le bouton OK, en haut à droite.

   La liste de lecture est affichée avec son titre (Figure 14.8). Si elle ne vous convient pas, touchez le bouton Modifier pour ôter ou ajouter des morceaux.
7. 7. Touchez le bouton Listes, en haut à gauche, pour revenir aux listes (Figure 14.9).

 Pour écouter une liste de lecture, touchez Listes puis le nom de la liste de lecture, dans l'application iPod. Touchez ensuite le premier morceau (ou celui que vous voulez entendre).

 Lors de la synchronisation de vos musiques, les listes de lecture définies sur l'iPhone sont ajoutées aux listes de lecture que vous avez créées dans l'ordinateur avec iTunes.

Figure 14.6 : Nommez votre liste de lecture.

Figure 14.7 : Les morceaux ajoutés à la liste de lecture deviennent gris.

Figure 14.8 : Touchez un morceau pour l'écouter.

Figure 14.9 : Pour revenir aux listes, touchez le bouton en haut à gauche.

Egaliser le volume

1. Sur l'écran d'accueil, touchez Réglages > iPod.

2. À la rubrique Musique, activez le commutateur Égaliseur de volume (Figure 14.10).

   Les morceaux sont à présent joués à peu près au même niveau sonore.

3. Appuyez sur le bouton principal pour quitter les réglages.

 Si vous tenez à bénéficier de la plage dynamique maximale d'un morceau, il n'est pas recommandé d'activer cette option (qui ne l'est d'ailleurs pas par défaut).

 Ne confondez pas l'égalisation du volume, qui régit le niveau sonore, avec l'égaliseur décrit à la technique suivante, qui modifie les fréquences des morceaux.

Régler l'égaliseur

1. Démarrez l'écoute d'un morceau de musique.

2. Sur l'écran d'accueil, touchez Réglages > iPod.

3. À la rubrique Musique, touchez l'option Égaliseur.

4. Dans la liste de 22 préréglages, touchez ceux qui, selon vous, devraient convenir.

   La sonorité de l'iPhone est aussitôt corrigée selon vos choix. Pour une écoute sur les haut-parleurs intégrés, l'option Mini haut-parleurs (Figure 14.11) donne d'assez bons résultats. Votre choix dépendra des conditions d'écoute (type de casque ou d'enceinte) et du genre de musique.

5. Appuyez sur le bouton principal pour quitter les réglages.

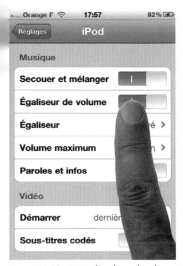

Figure 14.10 : Activez l'égaliseur de volume si vous avez les oreilles sensibles.

Figure 14.11 : L'égalisation de la sonorité s'appliquera à tous les morceaux que vous écouterez avec votre iPhone.

S'endormir en musique

1. Sur l'écran d'accueil, touchez l'icône Horloge.

2. Touchez l'icône Minuteur, en bas à droite.

3. Réglez le nombre d'heures et de minutes pendant lesquelles l'iPhone doit lire de la musique (Figure 14.12).

4. Touchez le bouton Sonnerie.

5. Touchez l'option Mettre l'iPod en veille, en haut de la liste (Figure 4.13).

6. Touchez le bouton Choisir, en haut à droite.

7. Touchez le gros bouton vert Démarrer.

Lorsque temps sera écoulé, l'application iPod cessera de jouer et l'iPhone se mettra en veille.

 Reportez-vous à la technique « Écouter la radio » un peu plus loin dans ce chapitre pour savoir comment s'endormir en musique et se réveiller en musique avec la radio.

Figure 14.12 : Réglez la durée.

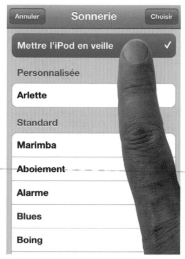

Figure 14.13 : Sélectionnez l'option qui met d'iPhone en veille lorsque le temps imparti est écoulé.

Installer l'application iBooks

1. Sur l'écran d'accueil, touchez l'icône App Store.

2. En bas de l'App Store, touchez le bouton Recherche.

3. Dans le champ de recherche, en haut de l'écran, saisissez « iBooks ».

4. Dans la sélection d'applications qui apparaît, touchez l'offre iBooks (tout en haut dans la Figure 14.14).

5. Dans le descriptif de l'application iBooks, touchez le bouton Gratuit. Il se transforme en bouton Installer. Cliquez de nouveau dessus.

6. Le mot de passe de l'App Store vous est demandé. Saisissez-le puis touchez le bouton OK.

L'application iBooks est aussitôt installée sur la page d'accueil de l'iPhone. La prochaine technique explique comment télécharger des livres.

Pour télécharger des applications, même gratuites, vous devez avoir créé un compte sur l'Apple Store en utilisant votre ordinateur. Démarrez iTunes puis dans la barre de menus, cliquez sur Store > Créer un compte. Suivez ensuite les instructions (vos coordonnées bancaires vous seront demandées même si vous n'avez pas l'intention d'acheter quoi que ce soit).

Figure 14.14 : Téléchargez l'application iBooks (tout en haut).

Figure 14.15 : La bibliothèque virtuelle pourra contenir d'innombrables étagères.

Lire des livres

1. Sur l'écran d'accueil, touchez l'application téléchargée iBooks.

   Une bibliothèque en bois aux étagères vides apparaît.

2. En haut à droite de l'écran, touchez le bouton Store.

   Dans la librairie virtuelle de l'App Store, touchez l'un des boutons Sélection, Classements (Figure 14.16), Parcourir, Recherche ou Achats, afin de parcourir les rayons. Des livres sont payants, d'autres sont gratuits.

3. Si un livre vous tente, touchez-le.

   Le descriptif est affiché. Pour beaucoup d'ouvrage, il est possible de télécharger quelques pages en touchant un bouton Extrait (Figure 14.17). Vous pouvez aussi lire des avis des lecteurs.

4. Cliquez sur le bouton indiquant le prix, ou sur le bouton Gratuit, ou sur le bouton Extrait pour télécharger l'ouvrage. Cliquez ensuite sur Obtenir.

   Le mot de passe de l'Apple Store vous est demandé.

5. Saisissez-le puis touchez OK.

Figure 14.16 : Parcourez les rayons de la librairie virtuelle.

Figure 14.17 : Lisez le descriptif du livre ainsi que les avis des lecteurs.

Le livre que vous avez choisi est téléchargé puis placé dans la bibliothèque (Figure 14.18).

6. Touchez le livre pour l'ouvrir.

Feuilletez-le comme un livre réel (Figure 14.19). En haut l'écran, des commandes permettent de modifier la luminosité de la page, de régler la taille des caractères et de rechercher un mot dans le livre.

Effleurez l'échelle à points en bas de la page pour accéder aux chapitres et aux pages. Touchez de façon continue dans une page pour surligner un passage, insérer une note ou effectuer une recherche. Touchez un mot pour le sélectionner, puis touchez Dictionnaire dans la barre de boutons pour obtenir sa définition.

Touchez le bouton Bibliothèque en haut à gauche pour fermer le livre et en choisir un autre sur les étagères.

 Les livres virtuels sont principalement destinés à être lus avec la tablette iPad dont l'écran est plus vaste, mais leur lisibilité est correcte même sur l'écran Retina très fin de l'iPhone 4.

 Pour disposer différemment les livres dans la bibliothèque, ou pour en supprimer, touchez le bouton Modifier en haut à gauche. Les livres peuvent aussi être déplacés en les tirant simplement, sans même toucher le bouton Modifier.

Figure 14.18 : le livre est téléchargé sur une étagère de votre bibliothèque.

Figure 14.19 : Feuilletez les pages comme celles d'un véritable livre.

Placer un document PDF dans iBooks

1. Créez ou téléchargez dans votre ordinateur un document au format PDF.

   Vous trouverez des manuels au format PDF sur les sites des fabricants de matériel photo, de lecteurs de DVD, de GPS et tout autre équipement que vous pourriez emporter.

2. Depuis votre ordinateur, envoyez le fichier en pièce jointe à votre propre adresse Internet. Quittez le logiciel de messagerie sitôt après l'envoi afin que le fichier ne revienne pas dans l'ordinateur.

3. Sur l'écran d'accueil de l'iPhone, touchez l'icône Mail puis relevez votre courrier.

   L'icône et le nom du fichier PDF envoyé en pièce jointe sont visibles dans le corps du texte.

4. Touchez la pièce jointe afin de l'ouvrir (Figure 14.20).

5. En haut à droite de l'écran, touchez le bouton Ouvrir dans « iBooks » (Figure 14.21).

   La pièce jointe s'ouvre immédiatement dans la bibliothèque de l'application iBooks.

Figure 14.20 : Le message contient la pièce jointe au format PDF.

Figure 14.21 : Touchez le bouton Ouvrir dans « iBooks », en haut à droite, pour transférer le fichier dans la bibliothèque.

6. Touchez la page pour afficher les commandes de navigation et les options (Figure 14.22).

7. Touchez le bouton Bibliothèque, en haut à gauche.

8. Le fichier PDF est rangé sur l'une des étagères de la bibliothèque d'iBooks (Figure 14.23).

Il vous suffira à présent de toucher le document PDF pour l'ouvrir et le lire.

La taille maximale d'un message autorisée par la plupart des fournisseurs d'accès Internet est de 10 mégaoctets. Si celle du fichier PDF est supérieure, vous devrez recourir à un service de transmission de fichiers volumineux, comme www.mygi-gamail.com/fr/ ou http://dl.free.fr/ (ces deux services sont gratuits).

Les commandes de la partie supérieure de l'écran sont les mêmes pour les fichiers PDF et pour les livres numériques téléchargeables depuis l'Apple Store. En revanche, des vignettes de chaque page sont visibles au pied des fichiers PDF. Effleurez-les pour arriver rapidement à une page. La simulation de page tournée n'existe pas en PDF. Effleurer une page vers le côté la fait seulement glisser.

Après avoir placé au moins un livre au format PDF dans la bibliothèque, la partie supérieure du meuble virtuel contient deux boutons : Livres pour accéder aux étagères des livres numériques, et PDF pour accéder aux étagères des documents PDF.

Figure 14.22 : Le fichier PDF est ouvert dans l'application iBooks.

Figure 14.23 : Le fichier PDF est allé rejoindre d'autres documents (essentiellement des manuels d'utilisation) dans la Bibliothèque.

Écouter la radio

1. Sur l'écran d'accueil, touchez l'icône App Store.

2. Touchez le bouton Recherche, en bas de l'écran.

3. Saisissez le mot « radio » ou le nom de votre station préférée, et voyez si son nom apparaît. Si oui, touchez-le.

4. L'App Store propose des applications correspondant à votre choix (Figure 14.24).

5. Sélectionnez l'application de votre choix puis installez-la.

Elle apparaît sur l'écran d'accueil.

6. Touchez l'application puis touchez le bouton Lecture pour écouter immédiatement la radio (Figure 14.25).

Réglez le volume avec la glissière, ou avec les boutons de volume sur le côté gauche de l'iPhone, ou en appuyant en haut ou en bas de la mini-télécommande des écouteurs.

La radio sur l'iPhone est plus qu'un banal poste de radio. Le nom du morceau diffusé est souvent affiché. Examinez le contenu du dock : vous pouvez vous abonner à des podcasts ou à des flux d'actualité, lire des flash d'information, ou, sur l'application France Inter par exemple, vous endormir en musique ou régler un réveil en musique.

La radio fonctionne en tâche de fond et même lorsque l'iPhone est en veille. Vous pouvez cependant recevoir un appel téléphonique ; il met fin à l'écoute de la radio.

Vous pouvez aussi écouter des radios en lignes à partir de Safari. Effectuez une recherche avec Google puis sélectionnez le site Web de votre choix.

Figure 14.24 : Choisissez une application radiophonique puis installez-la.

Figure 14.25 : Écoutez la radio avec l'interactivité en plus.

Regarder la télévision

1. Sur l'écran d'accueil, touchez l'icône App Store.

2. Touchez le bouton Recherche, en bas de l'écran.

3. Saisissez le mot « tv ».

   L'application de télévision de chacun des trois opérateurs français Bouygues, Orange et SFR apparaît dans la liste des résultats (Figure 14.26).

4. Touchez l'application de télévision de votre opérateur de téléphonie mobile et installez-la.

5. Sur l'écran d'accueil, touchez l'application de télévision.

6. Choisissez une chaîne. L'image apparaît quelques secondes plus tard.

Vérifiez dans votre contrat s'il prévoit la télévision illimitée. Pour certains contrats, comme le forfait plafonné, la télévision peut être facturée à la durée.

La vingtaine de chaînes de la TNT est gratuite. Il est cependant possible d'acheter des chaînes supplémentaires.

Figure 14.26 : Installez l'application de télévision de l'opérateur de téléphonie mobile de votre iPhone.

Figure 14.27 : Toucher l'image permet de passer du mode Vignette (avec quelques informations) au mode Plein écran.

Index